JN002718

# 山の上の寺を目指した脳外科医

長尾 省吾 著

元 香川大学学長
元 香川大学医学部附属病院長
現 香川県厚生農業協同組合連合会顧問

# はじめに

この文は脳神経外科医として約四十年間、主に大学病院で働き、退職後に香川県厚生連理事長、香川大学長と紆余曲折の人生を過ごしてきた私が、折々に触れ感じたことを旧い想い出とともに書き記したものです。

今、新型コロナウイルス感染症の世界的流行に人々の行動は制限され、産業も危機的状況にまで低迷しています。その様な毎日の中で、医師・教員そして組織運営者として歩んできた自分史を顧みるのも、心のストレスを和らげ、次世代の若者に何か参考になるのではと考えたのでした。

医学部を志望している若者も多くいますが、医療の現場はTVや漫画で描かれる刺激的で魅力が一杯、わくわくさせる出来事は少なく、むしろ心身のタフさが求められます。多様なニーズの患者さん対応、病める人々の心に沿う精神的な強靭さ、医療者との連携等、困難な日常がある事を知るのも大切だと思います。

人様の命・健康と対峙する医師には、宗教と哲学そして科学に裏打ちされた正確な医学知識と卓越した技量が要求されます。私の経験では毎日が学修で、それは一生続くものであり、常に一歩ずつ石段を登って行かないとそれらの素養は本物になりません。多くの患者さんの人生から、また終末期から、人の生き様の哲学と宗教を学ばせていただいたように思います。私なりに苦労し苦難の道を歩み、時には谷へ、時には思わぬ方向へさまよった人生の軌跡でありました。

「すべては後輩のために」を信条に歩んだ私の道を、少しでも共有する事の出来る読者が多いことを願っています。

本文中には、私の幼少期から家族、小中高校生の思い出、大学生時代のたわいもない話、留学の時のよもやま話そして四国遍路旅への想いなども記していますが、全てが今の私を形作った糧なのです。読了後には、そういう事もあったのかと納得いただけると思います。斯くして、老医師の生を受けた時からの時間は過ぎていったのでした。

# 目次

弥谷寺の山門で仁王像を見つめる私（小学校低学年）

# 一、私の生い立ちと家族

四国八十八箇所霊場の七十一番札所弥谷寺は、生家横の道をまっすぐ登った山の中腹に在り、昔の雰囲気そのままで今もお遍路さんを迎えています。

生家は讃岐の西方で、瀬戸内海と山に囲まれた小さな盆地にありました。

私は一九四二（昭和十七）年生まれで、終戦時は三歳でしたが、未だ鮮明に覚えている情景があります。

生家の数キロ西の詫間町には、瀬戸内海岸に沿って飛行艇基地（後に特攻隊の基地になった）があり、そこへ終戦間際になって頻繁に艦載機による攻撃がありました。生家と飛行場との距離は戦闘機では一分もかからない距離です。ある日、祖母と小高い丘の芋畑で草むしりをしていた時、祖母が私の頭を急に溝へ押しやり、抱え込みました。子供の私には事情は分かりません。隙間から空を見上げるとやがて艦載機が低空で飛んできて、飛行眼鏡をかけた操縦士が下を見ていました。目が合ったような気がし、その顔を今でも鮮明に覚えているのです。何度も同じ光景を夢で見ますから、幼少期の脳にくっきりと焼き付いた事実なのでしょう。七十数年前の一瞬の出来事でしたが、人の記憶は不思議なものです。四歳上の兄も小学校一年生の時に、校長先生の号令により防空壕に逃げ込み、グラマンが隊列をなして突っ込んできた事を覚えていました。夜になると畳を上げた居間で防空頭巾をつけて、家族が寝ていた事も記憶の奥にかすかに残っています。

一九四六（昭和二十一）年の昭和南海地震の時には、大きな母屋がきしみ揺れ、屋根瓦が落ち、庭の灯篭も横倒しになりましたが、幸いなことに人的被害はありませんでした。

弥谷寺の長男が同級生であり、仲良し数人と相当きつい坂や石段を登り、境内でよく遊んだものです。缶蹴り、隠れん坊、相撲、ターザンごっこ、など色々なことが思い出されます。

長尾弥五平の墓

七十年前（終戦後二、三年）のその頃は育ち盛でしたが、食べ物が不足して昼弁当を持参出来ない仲間もいました。彼ら彼女らは、空腹を満たすため皆が食事をしている間外に出て、水を一杯飲んで帰って来ていたようでした。このようにこの頃は皆が空腹で山桃、あけび、びわ、桑の実、グミ、天然のブルーベリなど様々な季節替わりの山の恵みをいっぱい食べ、よくお腹をこわしたものでした。

小学校入学前後だったと思いますが、アルミ製弁当箱に麦飯を詰め込み、その真ん中に梅干し、隅に沢庵をいれて腰に巻き、山に登って暖かい陽光の中でいただいた弁当の味はまた格別で、口中に懐かしく残っています。

ご本堂のすぐ下の石段横には、ご先祖長尾弥五平の墓が残っており、墓石にかすかに宝暦十二年（一七六二年、徳川家治の時代）と記されているので、江戸時代に相当お寺に貢献したのだろうと思います。ただ、昼なお暗い大岩をくり抜かれた大師堂への石段の両側に、傷痍軍人の義足、義手、髪の毛、杖などが快癒のお礼に奉納されており、子供心に何か近寄りがたい怖さを感じました。

若い頃の祖父

後年、戦争当時の悲惨な出来事を知るにつけ、恵まれた環境の子供時代を過ごさせていただいたと感謝しています。

当時、私の家族は祖父母、両親、そして兄弟四人の八人で私は次男でした。両親は学校の教員をしていたため日中は二人とも不在でしたから、祖父母に育てられた時間が長かったと思います。祖父も教員をしておりましたが戦時中には大見村長をしており、戦後は就職もせずいつも家にいました。多くの若者を戦場に送り出した責任を感じているのかと、子供心にそれには触れないようにしていました。碁・書道を趣味としていたようですが、それ以外はもっぱら畑を耕し野菜を作っていました。長身でスマートな人でしたが性格は謹厳実直で、兄弟は厳格に育てられたのです。

　小学校から帰ると私たち兄弟は、桑の根っこを掘って畑を作る仕事に駆り出されたり、家の前の畑を耕して、トマト・キュウリ・ナス・スイカなどを育てたりしました。とりわけ里芋つくりは名人で、たくさん子芋を付けた見事な里芋を収穫したものでした。私は小学校から帰ると、前の畑から大きな赤い青臭いトマトをちぎってきて、井戸水を張ったタライに入れておいて友達と遊ぶのです。そして遊び疲れると冷えたトマトをがぶりとかぶりつき、そのおいしかったこと…。今も懐かしい青臭い風味は口の中に残っています。近ごろの野菜類は新鮮な自然の匂いもなく味気もないのはなぜでしょうか。採れたての野菜の匂いがたまらなく恋しくなる時があります。

　また夏の夕方、祖父と私たち兄弟が話しながら、莚に広げられた小豆の皮をむいていた光景を懐かしく思い出します。何を話したか内容ははっきり覚えていませんが、祖父は自身の経験や考え方を私たちへの想いを込めて伝えられたのではないかと思います。

祖父は七十五歳くらいの時、懇願されて三村合併した初代三野村長となりましたが、その二、三年後に亡くなりました。祖父の生き方や死にざまを子供心に尊敬し、医師を志した話は後でふれます。

祖母は病弱でほとんど家から出たことはなく、買い物は私たち兄弟の仕事で、食事の世話や祖父の身の回りの面倒をみる毎日でした。暇があれば庭を手入れして毎年見事な牡丹を咲かせ、その他ダリア、カンナ、キンセンカなどを育てていました。春になると多くのお遍路さんが横の道を弥谷寺目指して通り過ぎていきましたが、中には牡丹や花々を見に家に入ってくるお遍路さんもいました。その様な時には、エプロンの前にお米、芋、屋敷になっている柿・イチジクを抱え、お遍路さんのずだ袋へ入れてあげていました。それは地域のごく自然な習慣で、子供心にもおもてなしの心を教えられたのでした。

私が山で枯れ木（こげ）や松葉を集めて背負って帰ると、かまどやお風呂の燃料として幾何かのお金になるので、小遣いかせぎに友達と山に行ったものでした。潮干狩りのあさりや池や川で釣った鮒やもろこ、畑で獲ったいなごは、祖母が美味しい甘露煮の様に炊き込めてくれ、食卓に上がり、獲った時のことなど話しながら家族でお膳を囲んだものです。自分の収穫したものが食卓に上がるのは、子供心にも何かしら家族の役に立っていると誇らしく思ったものです。そして家族全員で食べる夕食の時間は、当時はテレビもなかったため穏やかなゆったりとした時間で、一日の出来事を話したものです。食材は前の畑で採れた野菜や魚が主で、肉は年に一度、年末のボーナスで父親が買ってくる竹の子の皮につつまれた一片の肉で、兄弟はすき焼き鍋の自分の領分に肉を隠して、先を争って食したものでした。

祖母は毎朝、東の空に手を合わせ、太陽を礼拝していました。私たちも一緒に手を合わせ、朝日を礼拝していました。「お天道様はいつもお前たちを見ているから背いてはなりません」が口癖でした。今にして思うに、天に恥じない生涯をという戒めだったのです。また、タライの中の水を手で前に押しやると水は直ぐ手元に帰ってくるのを見せ、人の世の中はこういうもので、他人のために尽くすとやがてその徳は自分に返ってくるという意味の事も私たちに教えてくれました。「辛抱は金じゃ、放ろか土じゃ」とも口癖のように唱えていました。さまざまな祖母の教えは昔から伝えられたものでしょうが、今でも私の心の支えになっていることを思うと、この様に幼少期から全うな人の生き方を教える幼児教育が人間形成にとっていかに大切かを示唆しています。斯くして、家族から人生の規範を身に染みて教えてもらったと思っています。そして、私はその時々の置かれた場でベストを尽くしてきたと思っていますが、お天道様の判断はどうでしょうか。

祖母は八十歳頃、今思うと脳卒中と考えられる急な意識障害を起こし、三、四日後あっけなく家で亡くなりました。肉親が忽然とあの世へ旅立った心の隙間風を、子供心にも寂しく辛く肌身に感じました。そして、生涯家から殆ど外に出なかった祖母の人生を思うと、私たち兄弟の成長が何よりの楽しみだったのだろうと、その慈愛に感謝し涙するのです。

父は社会科の教師で、無口で怖いオヤジでした。飲めない酒を飲んで帰って来ては、家族総動員で靴や靴下、服などを玄関で脱がせ、布団に運び洗面器や水を用意するのです。一晩中苦しんでいたようですが、翌日には何も言わずに青い顔をして学校へ行っていました。何か気に食わないことがあったのだなとは感じていましたが、自分も長じて同じ経験を何回もし、今となっては、歴史は繰り返す…と思うのです。

家族写真（珍しい祖母の外出姿、大学１年時代の私と父、兄妹）

父との強烈な思い出は、小学生の頃のある日、家で兄とプロレスをやっていて随分本気モードで大声で騒いでいたのでしょう、突然父に引き離され二人とも何発か張られ倒されました。意識もうろうとしてその痛かったこと、今でも強烈な一発を父の怒った顔と痛さで鮮明に覚えています。いたずら坊主の私は何回かげんこつ（ビンタ）をくらったのですが、その時の一発は格別でした。痛みと共に父を思い出し、直の痛み経験は性根を正す良いツールであると私は思うのです。小学校に行ってもよくげんこつや竹の棒で先生からたたかれたものです。終戦直後はそれが普通だったのです。家でそれを話すと「お前が悪い」とまたげんこつなので、家族には黙っていました。不思議と身体に加えられた痛みは、懐かしい思い出となり当時の同級生と会っても、「あの時は痛かったな…」と懐かしむのです。現在ではご法度でしょうが、凄惨な事件が報告されるたびに、加害者たちは子供時代に痛みを知らない不幸な環境だったのだなと思う事にしています。

父の母（父は養子）・門脇シゲノさんは、香川と徳島県の県境・財田村の在で、私は子供の頃父に連れられてよく訪れ、横の川をせき止め、従妹たちと泳いだり魚を捕って遊んだものでした。法事には、うどん打ちの足ふみ（うどん粉の餅）をさせられました。一時間もすると足がだるくて、くたびれ果てましたが、釜揚げの出来立てのうどんはまた格別で、お坊さんが「ここのうどんはうまい」と言って何杯もお代わりをしていたのを覚えています。素人が切ったうどんですから、指位太く子供は立って食べるくらいの長さで、これは誰誰が打ったうどんと言いながら、いりこ出汁につけて食べた味は格別でした。昔は各家でうどんを打っていたのでした。この祖母は布袋さんのような雰囲気があり、私たち孫の名前を全部覚えてくれ慈愛に満ちた声で、その頃の出来事を話したり、柿畑へ連れて行ってくれました。その様な祖母が大好きで、いつも後をついていったものです。夜には、縁台を出して、山深い財田村に伝わる怖い昔話をしてくれ、山村の趣を肌に感じたのでした（門脇家は平家物語に出てくる門脇中納言・平清盛の異母兄弟平教盛の末裔で、由緒ある家系だと言っていたように記憶しています）。

母は小柄でしたがとにかくよく働き頭も良く、特に作文が抜群で、小さい時から地域でも飛びぬけて目立った人だったようです。夜遅くまで仕事をし、朝は早く起きて私たちに朝食を作り、時間間際に隣村の松崎小学校へ約一時間歩いて通っていました。雨の日、風の日、霜の寒い日、雪の日、一年中何か鼻歌を歌いながら、歩いて学校へ出勤していたのですから、その根性はすごいものでした。

何十年も歩いて通ったものでしたから、両足に大きな静脈瘤が出来ていたのを思い出します。時々痛い足をさすっていた母の姿を思い出すたびに、苦労をかけてしまってと済まない気持ちになります。兄弟から「お前は母ちゃん子だった」とよく言われますが、色々心配をかけたようです。原因不明の発熱時には、汽車に乗って保健所へ連れていかれ、習字や算盤塾にも通わされ、成績や通信簿が悪い時には学校へ乗り込んで教育方法が悪いとか何とかで、先生に直談判にも行っていたのです。家で学芸会の予行をさせられた時にも、教え方が悪いと言って担任に文句を言っていたようでした。自分も教師の立場でしたから、何か言わずにおれなかったのでしょう。担任の先生方もやりにくかったと思います。何しろ先輩教師ですから…。

そんな一途の母が好きで、時に帰りが遅くバスで帰ってくるときには、時分を見計らって停留所へ迎えに行っていました。今だから言えますが、母に忠義を尽くすだけではなく、兄弟たちに内緒でアンパン（当時は貴重品）を買ってくれるのを期待しての行動でした。母の荷物を持ち、美味しいアンパンをほおばり一緒に帰る姿、それは母と私のプチ秘密でしたが、懐かしく思い出されます。

後でも触れますが、大学三年の時に鳥取県の大山山で冬山登山をした時、体調不良になり急遽、麓の山陰労災病院に収容されました。同級生からの電報が両親に届き、米子へ赴く汽車の中から外の雪を見ながら、母は私が「亡き者」と思い込み泣いていたと父から聞きました。私の身体管理の甘さが原因だったのですが、その時ほど両親特に母に済まない事をしたと思ったことはありません。家族の健康・死の節目に不思議と母との思い出があり、医師となって何とか職責が果たせたかな…と思う今、母との親子の絆の不思議・縁に思い至ります。

かすかに残る子供の頃の記憶をたどる時、私の人間形成に家族の愛と教えがいかに大きく関与しているか、今さらながら気付くのです。

## 二、小中高等学校時代

さて、私の小学生から高校生の頃の事をお話ししましょう。

小学生の頃は、当時の写真で見ても目のくりくりした坊主頭の、小柄な可愛い子供で結構やんちゃだったのです。先に書きました様に、山野を駆け巡り要領よく成果物を手にし、家計を助け（？）家族にはいい子を装っていました。私には七十八歳になった今でも、年に何回か会う親しい数人の友人がおり、会うたびに彼らと思い出話に花を咲かせるのです。Kちゃん、K君、T君、S君、O君、T君などとはよく遊び、悪戯もしたものです。

当時なぜか放課後に遠い彼らの家に行って、魚釣りをしたり、畦道ですいこんこ（スカンポ？）を採って食べたり、カエルを獲って足を煮て食べたり（鶏肉に似て結構いけます）、他人様のジャガイモを掘ってコメ殻を燃やしている所へ放り込み焼いて食べたり、鶏をつぶす話を聞くと熱湯につけた後の羽むしりを手伝って、臓物をもらったりで、人様のものに手を付けても、怒られたり折檻されることもなかった、ゆとりのある良い時代でした。皆さんは鶏の首を鎌で切り落としても、頭なしで十メートルくらい走るのをご存知でしょうか。物凄い生命力ですね。こういう事は目の前で見ないと分かりません。

また、登校時五十センチくらいの針金を何本かカバンに入れ、下校中に稲田の中に

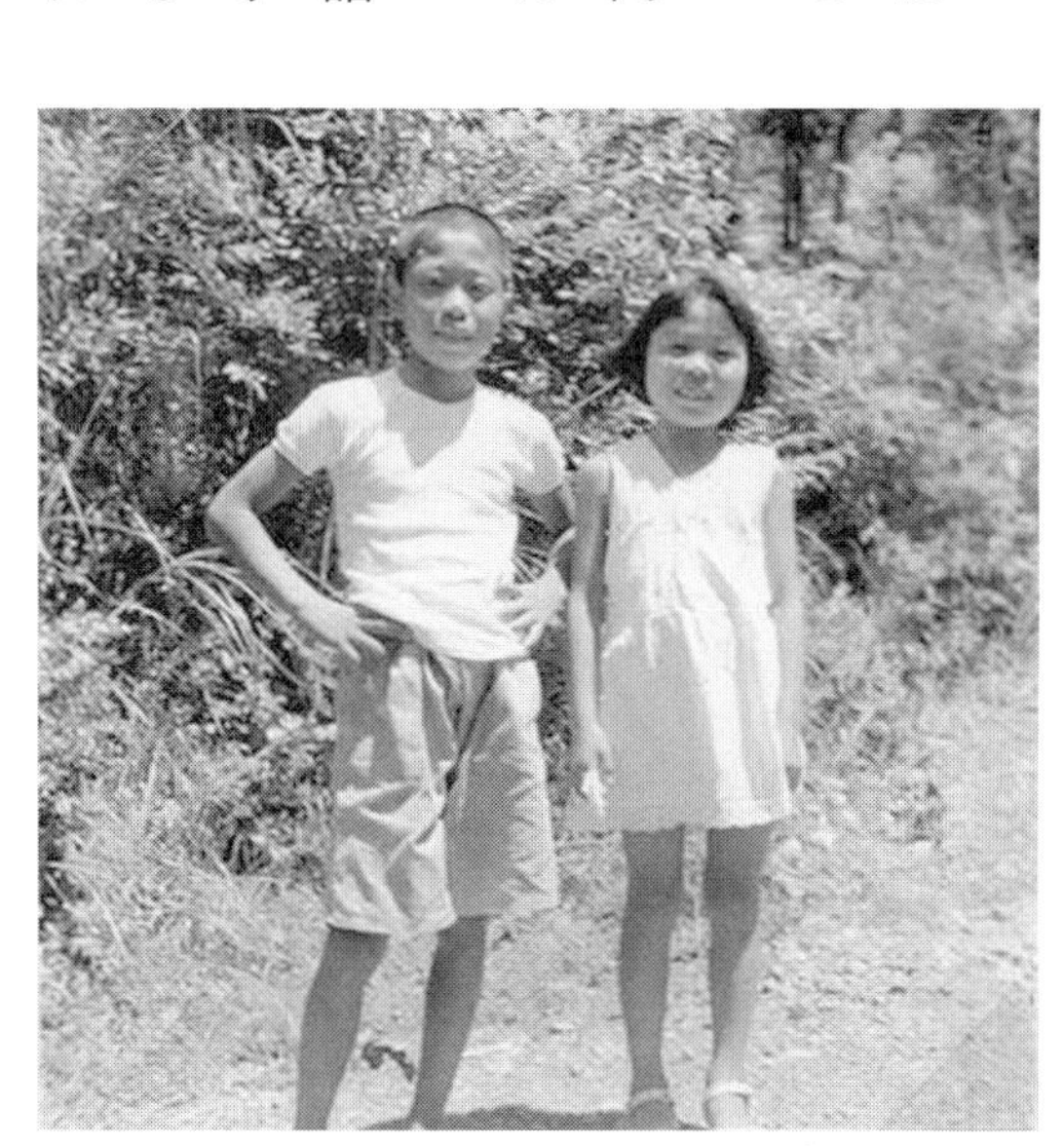
小学校低学年の私と妹（腕白さが伺える）

入って、無数にいるイナゴを取って針金に通し、それを松葉でこんがりと焼いて食べてました。これはおいしい副食でした。ですからいつもカバンの中には針金とマッチが入っていました。道端に生えている草花もほとんど口に入れ味わいましたが、まずいもの、腹痛を起こすもの、毒になるものは体を張って覚えたものでした。従って、食料不足が来ても今の若者より生き延びるわいと秘かにほくそ笑んでいる所です。

この様に私たちの子供時代は、食糧難でいつも飢えていました。故に背丈は低く最近は高齢のため年五ミリくらい低くなっています。当時喧嘩をしても力がいりません。現代のように情け容赦なく徹底的にやるのではなく、適当なところでお互いに折り合いをつけていたのです。今は「食満てれば心貧する」と言ったところでしょうか。本当に風情のない面白みの少ない日本になってしまったな…と寂しくなります。少々の悪戯をしたり作物を盗ったりしても、理由があれば（空腹であれば）黙認してくれる親や世間の情けがありました。逆にあまり遅くまで遊んでいると、大人たちに早く家へ帰れとすごい剣幕で怒られたこともありました。躾と言うか、ここまでは許すがそれ以上はダメと大人たちははっきりと教えてくれました。向こう三軒両隣のコミュニティの精神が生きていて、それぞれの家庭でもそれを許容していたんですね。当時は正に、映画「ＡＬＷＡＹＳ三丁目の夕日」の世界そのままの戦後世相だったと懐かしく感じられます。その様な昭和は遠くなってしまいました。

話を戻します。私たち同級生の絆を一層強固にしたのは、一九五一（昭和二十六）年、小学校三年生の時の二つの出来事です。図画の時間だったと思いますが、誰かが近所の人に石を投げたと怒鳴り込んでこられて、なぜか私たちの仲間を含め十名くらいが職員室に呼ばれ、ストーブの周りに集合させられました。誰がやったか分からなかったのですが、カンカンに怒った教頭先生は、私たちに進級を認めない、二年生に落とす、何組が良いかなどねちねちと攻め立てました。教頭先生は校内でも恐ろしい先生であったらしく、担任の先生方も知らぬ顔をして誰も中にはいってくれません。二時間

大見小学校卒業写真＝昭和30年３月（向かって左奥が私、当時は子供が多く２組あった）

以上散々お説教をくらい、その内しくしく泣きだす者まで出てきて、本当に落第すると思いこみました。家には知らせるからな…など脅され、その時の寂しさ辛さは今でもしっかり覚えています。家に帰って経過を話したと思うのですが、その時の家族の反応や後日経過はすっかり忘れてしまいました。一緒の仲間とはその時のことを今でもよく話すので子供心にも将来真っ暗くらいの心境だったのでしょう。それ以来同じ洗礼を受けた仲間として特に仲良くなって今でも付き合っているのですから、禍福糾える縄の如しということでしょうか。

もう一つは三年生の時の担任、K女先生の事です。今もはっきりお顔とお声を覚えていますが、優しい親身になってくれる先生でした。お昼の弁当時間も私たちと一緒に過ごし、よくお話をしてくれ、私たちのたわいないコントのようなものにも付き合ってくれました。後になってお聞きしたのですが、教員間で気まずいことがあって、昼食時にも職員室に帰らなかったとのことでしたが、もしかしたら私たちの悪戯が原因だったのかと今となって気づくのです（但し、前後関係ははっきりしません）。通信簿に書かれたこともしっかり覚えていますし、指摘された件はしっかり実行しました。クラス全員が先生を慕い、先生にも慈しんでいただきました。

ある日突然先生が病気で倒れ、学校に来られなくなりました。数日後、クラス二十名くらいで、放課後先生のお宅までお見舞いに行こうと相談がまとまり、隣村の先生宅を目指してひたすら歩いたのです。皆お宅の所在を知りませんので、大人たちに聞きながら、畦道をたどり、時にはズボンやスカートをめくり高瀬川を渡り、墓地の横を経てやっと皆で先生宅についたのです。先生は寝床に起き上がり、とても喜んで涙ぐんでいた姿は目に焼き付いています。一九五一（昭和二十六）年の出来事でした。有名な小豆島を舞台に、小学生と大石女先生が繰り広げる映画「二十四の瞳」そのままの出来事でした。この主演高峰秀子と十二名の学童の物語は、一九五四（昭和二十九）年に上映されたので、私たちはその三年前にK先生をお見舞いしていたのです。この様なこともあって、このクラスは特に男女とも絆が深いのです。もう八十歳近くなっても一年に一回は同窓会で集まり、「珍しいクラスやね」とよく言われます。

K先生傘寿と私の教授就任を小学校同級生が祝ってくれた

先生が退職してご高齢になって病床に臥せった時、お見舞いに行くと「皆いつまでも仲良くやりなさいよ」と手を握り、優しい笑顔で病室の外まで見送っていただきました。九十四歳の長寿を全うされ天に帰られましたが、この歳になるとその様な別れが増えてきて、私ももう少しで順番かなと思う事もあります。

そろそろ医学を目指した私の心の変化について触れてみましょう。私はもの心ついた時から生き物が好きでした。祖母の話では「省吾は子供の頃から大きくなったら動物園の園長になる」といつも言っていたとの事です。

雀の子、鳩、メジロ、鶏、犬、うさぎなど多くの動物を飼い、面倒を見ていました。ある時、他家の屋根に雀の子が生まれていましたが、どうしても捕れない。そこで屋根瓦を数枚はがしてやっと捕れて家で飼う事にしました。二、三日してその家の方が「お宅の息子が瓦を外したから雨漏れがした。修理してくれ」と怒鳴り込んできました。当然です。瓦を外した後まで考えなかったので、これは大変な事になったと思いました。祖父が対応してくれましたが、「もうこんな事はしたらいかん」と大目玉を覚悟していましたが、意外と優しく諭されました。人というものは、頭から怒鳴られるより優しく言われる方が心に響き、二度と自分のもの欲しさに他人様に迷惑をかけてはいけないと思い至りました。修理にいくばくかのお金を要したと思うのですが、それ以降何のお構いもなしでじっと反省の毎日でした。

またこんな経験もしました。私が飼って大事に世話をしていたメジロの話です。ある日学校から帰るとメジロの籠が壊され、後は羽と死骸のみでした。いつもより低い所に籠をつるしたため、猫が飛びつきこんな結果になったのだろうと思います。その時私の不注意で二羽のメジロの命が失われたという事と昨日まであんなに大きく羽ばたいていたメジロが小さい死骸になった…このギャップに魂を揺さぶられたのです。彼らは私の掌の中で誠に小さくまた軽い存在で、死ぬという事は動きを止めるだけでなく、今まで心躍らせた生命の魂まで失われる…その心持ちに至った時、命というものは何だろうと深く心に刻み込まれたのです。

同じような経験は、尊敬する祖父の死です。先にも書きましたが、祖父は私の中で一番尊敬する人でした。子供心にも凛とした立ち位置があり、生き方に筋が通っていると感じていました。こういう人に私はなりたいと何時も考えていたのです。七十五歳を過ぎて村長になってから、難問山積だったのでしょう、みるみる痩せ衰え肋骨は浮き出し、家に帰ってくるとすぐ横になり肩で息をしていました。少しの距離でもまだ中学生になったばかりの私に、自転車で送ってくれとよく頼んでいました。間もなく村長の職を辞し、近くの開業医の紹介で岡山大学病院内科に入院しました。後でわかった事ですが、肺気腫で肺機能は極端に低下し、日常生活も儘ならなかったでしょうと言われました。

私が中学の三年生の秋、突然母が私と二歳下の妹を学校へ迎えに来ました。祖父が危篤という電報が来たから、今から岡山へ行くと言うのです。着の身着のまま列車に乗り込み、高松から連絡船に乗って、宇野線経由で岡山大学病院に着いたのは、夕刻五時くらいだったでしょうか。祖父が入院していた病棟にやっとたどり着いた時、祖父の病床には白い敷布が掛けられていました。隣の患者さんが、この方は今朝亡くなり、今霊安室に移られていますよと教えてくれました。この時の母の悲痛な叫びに似た嗚咽は、今でも耳の底に残っています。やがて祖父の遺体と対面したのですが、やせ細り小さくなった私の知らない祖父で、これが尊敬する祖父かと現実とは思えませんでした。肉親の死は初めての体験で、「死」とは何かと真剣に想いを馳せたのでした。

祖父の「死」は生体活動を止めるというだけではなく、メジロの死の時にも感じた「バイタルのある霊」の喪失、手の届かない世界への旅立ちを子供心に教えてくれたのです。この頃から、「生・死・生命・健康・病気」などに対し、私の中で強い関心が醸成されていったのです。一方、病院内を闊歩している白衣姿の医師の姿の格好よかったことも強く印象づけられました。そして私はこの時、将来岡山大学病院で医師になるぞと心に決めたのです。

やがて父が駆け付け、遺体を連れ帰る手続きを岡山駅で掛け合いましたが、当時汽車に乗せることは難しいと言われ、親戚のＪＲに勤めている方にお願いして手配いただき、結局貨車に積み込み連絡船で帰る事になりました（当時の連絡船は汽車も一緒に乗せていました）。母は道中一時もお棺から離れることなく、止めどもなく涙してお棺をさすり続けていました。

詫間駅に着いた時には、父親とリアカーで引っ張って帰ろうと相談していたのですが、午前三時頃にも拘らず、大勢の人々が祖父の無言の帰りを待っていてくださり、改めて祖父の偉大さを実感したのでした。村葬が営まれ村始まって以来の盛大な葬儀が執り行われました。かくして、祖父との別れを機に、秘かに医学部受験に舵を切り替え、受験勉強に青春の大半をつぎ込んだのでした。

話は前後しますが、私は当時では珍しい中学高校の一貫教育が行われる丸亀の大手前中学・高等学校へ進学しました。六期生で、高校三年から中学一年生が同じキャンパスで学習するというユニークな体験をしました。大きなカバンを持ち、毎日詫間駅から丸亀までの汽車通で、よく六年間頑張ったものです。母校は丸亀城のすぐ前で、今では多くの校舎や体育館が建っていますが、入学当時は校舎は三つしかなく、それぞれ「かまぼこ、むすび」校舎と呼ばれていました。校庭にはクローバが咲き乱れ、牛や羊が繋がれ、休憩時間には弁当をもって丸亀城の広場で食べたり、遊んだりしたものです。始業を知らせるサイレンが鳴るとすぐ教室に表れる「消防車」と言われた英語のO先生、怒るとものすごく怖い「どんちゃん」という漢文の先生、青年教師そのままの担任T先生など記憶に残る優秀な先生がたばかりでした。とにかく受験校でしたから成績最優先で、知識の詰め込みや課外授業ばかりでストレスのある学校生活でした。従って、友人は居たのですが、卒業してそれぞれ進路が変わると自然に疎遠となって、この時代の友人とは不思議と付き合いは少ないのです。

受験勉強は高校二、三年になって、必死でしました。当時も医学部受験は難関であり、姉・兄の二人がまだ大学生でしたから、絶対現役で合格すること、そし

昭和30年丸亀城から大手前中学・高等学校を望む。現在の様な高層住宅はなかった

て学費が安い国立を目指しました。夕方ひと眠りをして、夜八時頃から朝五時頃まで連続で机に向かいました。慣れるとこの時間は頭が冴え、よく学習がはかどりました。父がいい加減寝るように何度も勉強部屋を覗いていたのを覚えています。かくして岡山大学医学部に入学できたのでした。当時は新設医大もなく、国立大学の定員も少なく（八十－百名くらい）、従って競争倍率は現在と比較にならない程、高倍率でした。

少年から青年への心の成長に、友人、恩師、周囲の人々の影響を大きく受けたことを実感します。

全校生による運動会の倉田校長訓示

中学生時代の臨海学校

## 三、大学生時代

昭和三十六年、岡山大学医学部に進学してからの人生は、思い出深いものでした。それまでの受験勉強のフラストレーションを吹き飛ばすように、よく遊びそして友人を多く持ち、時に学修していたという学生時代だったと思います。

当時、医学部進学課程という時期があって、岡山大学では大学本部のある津島キャンパスで二年間、英語・ドイツ語、動物学・植物学・物理学・化学・社会学・心理学、など医学以外の面白い講義がありました。受験戦争で疲弊していた私は、出席率はあまりよくなかったのですが、動物学の受精卵のスケッチ、社会学の「都市の成り立ち」という二、三百人の学生が聴講した人気抜群の講義、心理学の「ノート筆記術」など今懐かしく思い出しています。医学以

大学１年生（両親、兄姉とともに）

外の所謂一般教養の涵養は、専門分化が著しい今の医学部教育では学修できないのではないかと危惧しています。医学と全く異なる分野の学修は、社会が先鋭化した今の時代こそ必要ではないでしょうか。

この時代、私の毎日を彩ったのは、親しい遊び（麻雀）仲間や大学に入って始めた空手部の連中、釣り好きのY君らとの付き合いでした。今でも彼らに会うと数々の青春時代の出来事を思い出し、当時の情景が目に浮かんでくるのです。

特にS君は傑物で、最初に会った日の事は忘れられません。猛暑のある日、友人と彼の下宿を訪問した時、S君は梯子を上った屋根裏の猛烈に暑い部屋で、薄汚れたパンツ一枚で昼寝をしており（恐らくアフリカの動物でも敬遠する暑さです）、涼しい顔をして、「おー」と起きだしてきたのです。それを見てこれは相当な人物と慄きました。彼は二歳ほど年上だからもう八十歳近いのですが、その彼の人を引き付ける魅力・指導力やぎょろめの風貌は脳外科医にしておくのには勿体ないと今でも思っています。最近同門会であった時、「長尾、ここまでお前ようやった」と言われ、心から嬉しくて仕方ありませんでした。彼とのエピソードは、数え切れないのですが、二、三挙げてみましょう。大学二、三年の頃、空手の西日本医学生大会が金沢大学で行われのですが、まだ初心者の私たちは試合で手ひどい傷を負ったのです。彼は片方の鼻翼が切れ、止血のために大きな絆創膏を顔面に貼り、私は向う脛に裂傷を受け包帯をしていました。痛さに耐えていると先輩には「まだ鍛え方が足らん」と怒られ、踏んだり蹴ったりです。夜行列車での帰途、どうにか眠ろうとすると彼は私の足の傷を蹴り、私は彼の顔をつつき、お互い眠らせないまま、金沢から京都に着きました。その頃は朝の通勤時刻で混雑していましたが、皆さん、私たち二人のやり取りを見てくすくす笑っていました。今では「あの時痛かったの…」というのが、二人の共通語です。京都では、一睡もしていない中、彼に引っ張られてすぐ近くじゃという事で、痛い足を引きずって清水寺まで歩かされたのでした。

こんなこともありました。脳外科教室入局後、学内レガッタ試合の練習中には、奥さん（?）の下着を間違えて履いてきて、「おー間違ったわ」と涼しい顔、練習仲間は目のやり場に困ったものでした。また東京の学会の前日、二人で発表の前祝という事で岡山で一杯やったのですが、彼が彼女に電話した時です。暫く甘い言葉をささやいていましたが、突然電話を切り私に向かって、「あーた」と言われたと真顔なのです。間違って奥さんに電話し、暫くして間違い電話に気づき、「困ったなー」と愚痴るのです。その夜はどこかに泊まったのでしょう、翌日の学会終了後に、「おまえにも責任がある」（?）と言って、駅のデパートで奥さんへのお土産と称して、十個以上荷物を持たされ困り果てました。

この色男のS君が家に帰った後がどうなったか、私は知らない。

我々は昭和四十二年卒業で、丁度インターンボイコット、国家試験・大学院ボイコットを実行したのですが、S君がクラス委員長（私は財務担当）で、多くの意見を集約して全面ボイコットにこぎ着けました。その時の彼のリーダーシップは際立っており、政治の世界でも十分に通用すると思いました。

当時のインターンは身分保障も財政的支援もない無給で、現在の教育プログラムが充実し、且つ月給もくれる臨床研修制度とは雲泥の差でした。「医師国家試験ボイコット運動」など、我々の様な闘争や問題提起があって今の制度に繋がったと考えています。不条理な社会で声を上げて行動するという事が、社会を住みやすい優しいものに変えていくのだと思うのです。

私の下宿は津島の大学本部のすぐ前でしたので、大学の往復に多くの友人が立ち寄っ

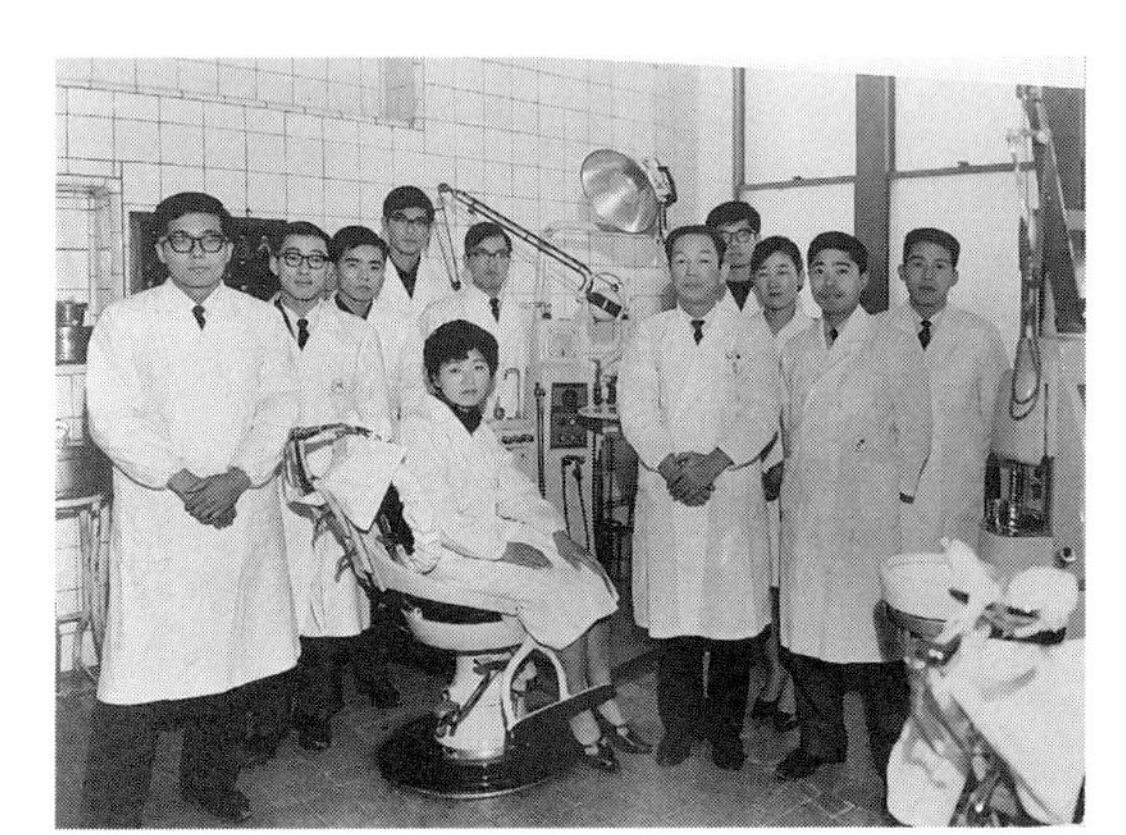

口腔外科の臨床実習（Eグループ）

ていました。特に波長の合う友人四名で、雀友会なるものを作り良く中国語研究会を開きました。その内、次第に仲間が増えて、登下校途中で立ち寄る者十数名になり、六畳一間に十名くらいがたむろする悪友仲間の集合場所になりました。朝寝ていると一人二人と集まり、ジャラジャラやるのですから、大学には行けません。そこで時に抜けて授業を受け、ついでに数人の代返をして何とか進級できたのですから、旧き良き時代だったと思います。

クラスの他の連中は、長尾の仲間と付き合ったら卒業できないと言っていたようです。隣室の女性が自殺を図って救急車が来ても、何も知らずマージャンをやっていたのですから、全く常識外れの集団でした。然し、中国語研究会をやった方は分かると思いますが、このゲームはその人の性格、人柄がよく分かるので、対人関係を作らないといけない医療の世界に身を置く素地が少しは育まれたと思うのです。連日の会合ですから、近隣のお部屋の方々にはよく耐えていただいたと汗顔の至りです。

前にも触れましたが、三年生（専門一年生）の冬一月に空手部の冬季合宿が数日ありました。朝六時頃から裸足で約四キロを走る朝練から始まり、夕方の組手で終わるまで苦しい鍛錬でした。皆食事もできず（胃が受けつけない）ジュースを飲んで何とか耐えしのぶ毎日で、体重は数キロ減りました。この様に体力を極限までに消耗したなか、翌日鳥取県の大山山へ同級生と登山に行きました。

夕方、山小屋に着き、食後、就寝時刻から私の心臓に変調が起こり、次第に脈が微弱かつ減り、意識朦朧となり自分でもこのまま、「ああ死ぬのか…」と思いました。友人が私の体調急変に気づき、何人かの手を借り山小屋診療所に担ぎ込まれました。そこで応急手当てを受けて、翌朝、救急車で山陰労災病院に入院しました。その時も意識朦朧でしたが、若い看護師の方が、搬送中ずーっと手の脈拍を触れてくれ、優しく大丈夫ですよと言って激励していただきました。今から五十数年前の出来事ですが、その方の顔と温かい手のぬくもりは今もしっかり記憶の中に残っています。この様にして私の生命は現在に繋がっているのですが、急変に気づいた友人がいなかったら（彼らにはいまだに頭が上がりません）、手の脈をとって激励していただいた看護師の方々がいなかったらと、今更ながら周囲の皆さんに支えられて生きている自分に想いを致します。その出来事以来、私は二十一歳で失った命で、余命は人様のためにあるということ、そして医師は一度病気になり患者体験が要るのではないかと考えるようになりました。助けていただいた後の五十数年間は、人に優しく、医師として命の瀬戸際にある人には全力を尽くすべしと心に誓ったのでした。

三年生での山の事故以来、空手部は辞め、授業に出て専門知識の学修に努めるように

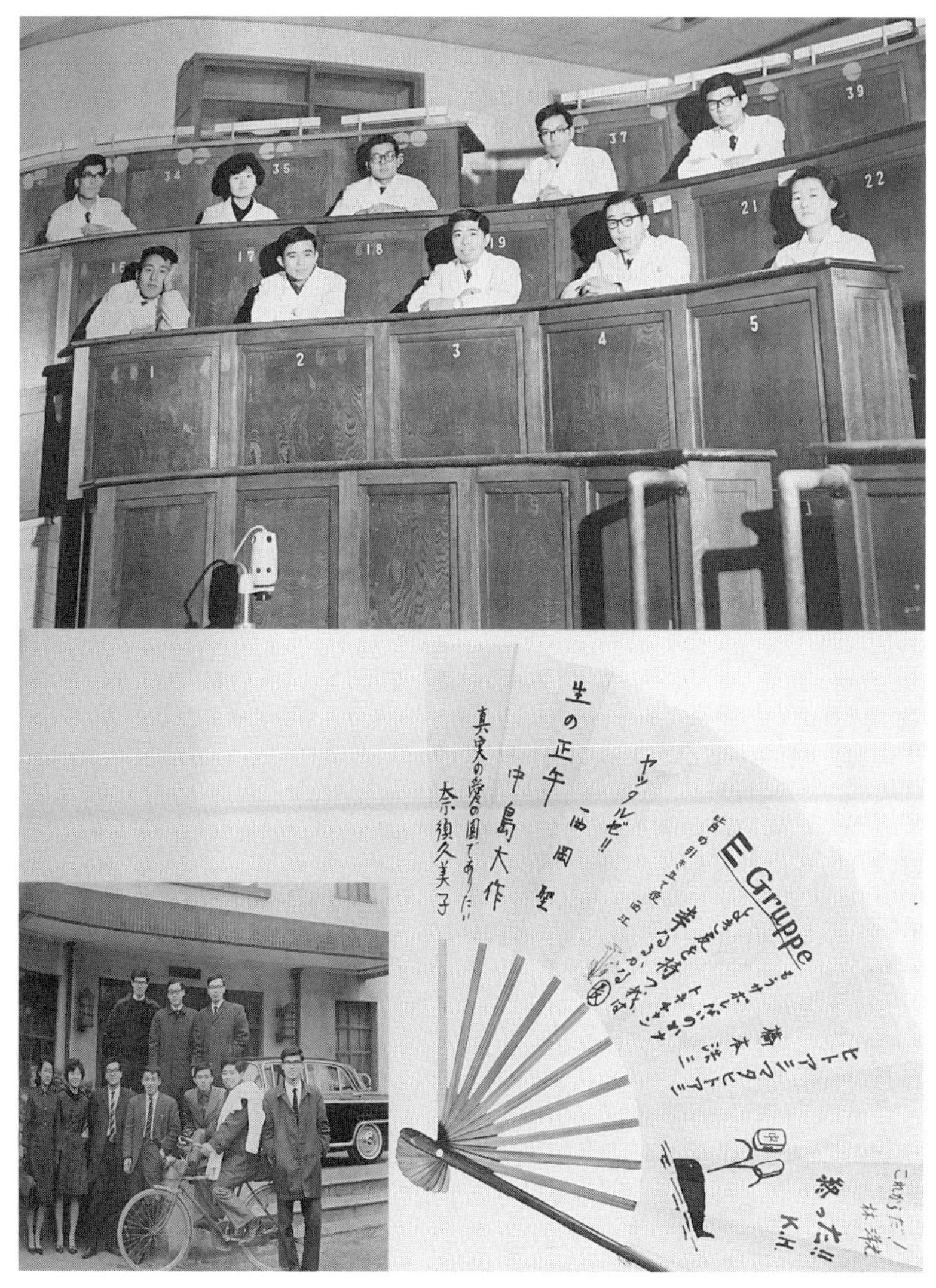


臨床講義室にて（Eグループ）
私は「よき友を持つ我は幸いなるかな」と寄せ書きしている。

なりました。基礎医学、社会医学（公衆衛生、法医学ら）、臨床医学へと進むのですが、内容も次第に高度、多岐にわたり、現在の医学生の様に寸暇を惜しんで学修に励む環境におかれます。その様な中でも、以下のような傑作な出来事もありました。

解剖学の実習ではこういう出来事がありました。骨学の試験前日、友人が禁止されていた頭蓋骨を試験に備えて家に持ち帰りました。その帰途、パチンコ屋に立ち寄り何時間か後、外に出ると自転車の前に吊るしていた頭骸骨を入れた袋がないのです。警察に届け出ると藪蛇になるので、周囲を必死に探したが見つからなかったのです。この事例は公にはなりませんでしたが、今思っても盗っていった人が袋をあけた時、随分吃驚しただろうなと笑ってしまいます。

また六月の梅雨の頃、解剖学の試験間近になって、ほかの建物より離れた古い棟の解剖室で、神経を必死で教科書相手に同定していました。深夜になり八十名いた同級生は、一人二人と帰ってしまい気が付くと午前二時、私一人取り残された格好になりました。暗い裸電球の光の中、外は雨の音、他の解剖台にはそれぞれのポーズで白いシーツに覆われたご遺体が十体くらい並び、私が動いたらご遺体が一緒に動く錯覚にとらわれ、言いようもない孤独感と恐怖に足が一歩も動かない心理状態になったのです。隣の準備室には、当時はホルマリン風呂に折り重なってご遺体が浮かんでおり、間の手押しの扉が時にギーと鳴るのです。心身とも金縛りのようになっていた時、突然解剖室の扉が開いて、ライトと声が聞こえたのです。ギャーと声を上げたのでしょう、侵入者も腰を抜かしてへばってしまいました。ぼーと明かりがついていた解剖室を見回りにきた守衛さんでした。ようやく二人は這いつくばるようにして、解剖室から離れたのでした。守衛さんも突然声がしたので腰が抜けたと言っていました。お互い黙っておこうなという事にしたのですが、翌日から「長尾腰を抜かしたんだってな」と同級生に笑われたものです。あの裏切り者め、生涯で一番恥ずかしい思い出です。

基礎医学では、生化学、生理学、薬理学、病理学、など必死で勉強したものも、余裕で試験にパスしたものもありますが、概略ぎりぎりで自分でもよくやった方だと思います。臨床医学の方が比較的に得意で、いよいよ医師になるのだというやる気の高まりと「生きる事・死ぬこと」の現場に近づく予感に、ベッドサイドティーチングや講義・実習に次第にエンジンがかかって来たのでした。

卒業時のインターン闘争は先に書いた通りです。

翌年には、一級下の学年が国家試験を受験するという事になり、仕方なく我々の学年も広島まで行って受験することになったのです。前日は指定された旅館に分散して宿泊し、翌朝試験場へは護送バスで移動、機動隊に守られ、赤旗と怒号の中での受験でした。「長尾、裏切るのか」という一級下のK君（後に代議士）の声を聴きながらの試験場への入室は、寂しいものでした。試験中も怒号が窓外から聞こえ、気もそぞろでした。当時の医師国家試験は、筆記と口頭試問で、筆記は、「肝硬変」について書け、口頭試問は、「肺結核」についてでしたが、私はインターン時、出張先は、結核療養病院でしたから、「君良く知っているねー」で短時間で終わり、後は雑談でした。現在のように、三日かけて数百題のチェックシートに取り組むのではなく、牧歌的な試験でした。

## 四、脳神経外科医を目指して

さて問題のどの教室に入局するかです。外科系を回っていましたから、先生方から色々なお誘いがありましたが、結局、将来はどうなるか分からない発足したばかりの「弱冠四十一歳の西本詮教授主宰の脳神経外科教室」に決めることになりました。当時は岡山大学のそれが日本で四番目の独立した教室（それまでは外科の一研究室）でしたから、歴史はないし将来性も全く未知のものでした。ある夜、西本先生に同級生と共に数名が街に連れていかれ、しこたま飲まされ、三日酔いの状態でお礼に伺うと、「長尾君、入局御目出とう」と握手されました。酔った勢いで将来脳外科医になると約束したらしいのです。S君や私が入局するのなら、何かいいことがあるのだろうとこの年は合計九名の者が入局を決めました。当時一学年八十名でしたから、大勢力です。当然外科の先生方から大目玉でした。

外科の先生方は「デフェクト・ハイルング（後遺症を残すのが常の診療科）だから辞めよ」、「今から教授に断りに行こう」などいろいろ言われましたが、生命や思考に直結する脳に引かれたのと、子供の頃から秘かに興味を抱いていた「生と死」を身近に触れることのできる診療科であり、何よりも恩師西本詮先生の温かいお人柄が魅力でした。後になって怖い人と知るのだが…。（誠に残念ですが、本文執筆をほぼ終えた令和二年八月二十日、恩師西本詮先生がご逝去されました。心からご冥福をお祈り致します。）

入局後の生活は、それまでの天国から地獄への変わりようで、釣った魚にエサはやらない扱いでした。毎朝七時から輪読会（難しい英論文を翻訳）、午前は外来の書記か手術場、その後オーベンと呼ばれる指導医と受け持ち患者診療、午前二時頃まで与えられた仕事、最後に脳波の診断と所見書きの毎日でした。下宿に帰る時間がないので、皆折り重なって医局ベッドで朝を迎える繰り返しでした。一人が半年後に脱落しましたが、後は皆脳神経外科医として社会に出ました。甘い毎日を過ごし緩み切っていた性根を叩き直す愛の鞭だったのですが、この様な生活に慣れるまで、一人前になるのは大変な事なのだと思い知らされました。時に医局で集まってビール飲み会や時に街に繰り出だす行事もあり、その時には教授以下、大いに羽目を外したものでした。忘れもしません。

最初の受け持ちは、十歳くらいの頭蓋咽頭腫の患者で、術後意識がなく気管切開でようやく呼吸が出来る患者でした。オーベンから「この子が死んだらお前の責任じゃ」と言われ、ベッドサイドに二十四時間張り付いたものです。その頃の術後患者は多くは意識がなく、気管内挿管をして人工呼吸器を装着していたのですが、患者が多いとアンビュウといって、酸素に繋いだ管の先にバッグをつけ、手で圧縮して呼吸を助けていました。二、三日徹夜が続くと夜間はつい眠ってしまい、患者さんが低酸素症のため黒くなって気が付くときもありました。幸い患者さんは意識を取り戻し、最近まで看板屋さんとして社会復帰をされていたと聞きました。

心に残る患者さんの事は後程触れるとして、当時の診療事情を書きます。

当時、手術用顕微鏡は導入されておらず、もっぱら術者が額帯式ルーペを使い、術野は術者しか見えませんでした。我々第三、四助手は、脳ベラで脳を固定し、術者の視野を確保するのが役目でした。片手、半身で脳ベラを維持したのですが、手が疲れてくると次第に下がって先端が脳に食い込んだり、血管の損傷というアクシデントもありました。術野は見えない上、ただひたすら脳ベラを維持する体力勝負の毎日でしたが、これが当時の脳外科手術の姿ととらえ、じっと我慢の辛い試練でした。手術は翌日の朝に終わることも珍しくなく、手術室に朝日が差し込むときには、眠くまた涙が出て仕方がありませんでした。まさに忍と体力の勝負といった手術でありました。術後のケアは新人の仕事で、回復室で二、三日徹夜もざらでした。現在医療界では過労死のケースが時にあるため、働き方改革について喧伝されていますが、当時はその様な献身的な奉仕が当然であり、同級生間でも、これで二日徹夜だと自慢しあいしていた日々でした。それだけにやがて患者さんが目をあけ応答してくれると嬉しくて小躍りしてオーベンに報告したものでした。ベッドサイドから殆ど離れないので、付き添いの家族との関係は

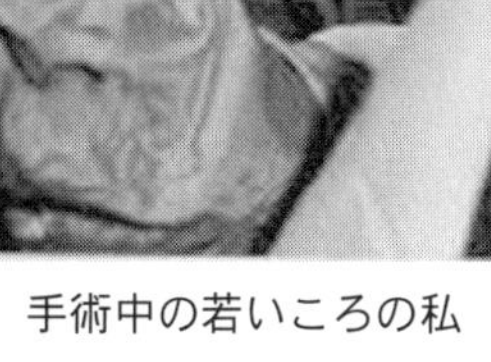
手術中の若いころの私

良好で、結果的に亡くなられても私たちには感謝の言葉ばかりでした。この様にして、患者さんに寄り添い、家族ともよい人間関係を構築することの大切さをこの時期に学んだのでした。これら新人時代の苦労はやがて指導する立場になっても、関係者に配慮する慈しみの心を育んでくれたのです。

西本教授の発案で、岡山市の東部にある池田候の菩提寺曹源寺で一泊二日の座禅修行を新入局者の行事として取り入れられました。私が医局長の時には、二年にわたり、新入局員を引率して、曹源寺でお世話になったのですが、結構、皆辛い思いをしたようでした。

寺僧のお説教から始まり、作務と言ってトイレ、廊下、部屋の掃除、広大な庭を清め、クヌギに菌糸を植え込むシイタケつくりも体験しました。作務はむしろ楽しい息抜きの時間で、問題は座禅の修行でした。お堂で足を組み無念無想に瞑目するのですが、皆、睡眠不足ですぐ鼾をかくものや体が前後に傾くものなど、その度に全員警策(きょうさく)で活を入れられるので、十人くらいの参加でしたが長時間の座禅でした。ある年には外国人の修行僧が指導に当たっていただいたのですが、警策で肩をたたくときに肩甲骨に直接あたり、ひどく痛かったことがありました。「痛い」と思わず口に出るので、また活を入れられた時もありました。ベテランの鞭は活を入れられた後、局所は暖かくなり気持ちがいいのですが、初心者のそれは打たれた肩が赤くはれて、見るも無残な跡が残り、可哀そうでした。チョンボをした者は皆から非難され、理由の如何を問わず白い目で見られていました。

食事の時がまた大変で、正座でまずお経を読み、音を立てずに最後の一粒のお米も残さず白湯で洗っていただきます。中には食事が極端に遅い者がいて、完食まで皆正座で辛抱強く待っていましたが、時には非難のまなざしで見られていました。食事が終わるとまたお経を読むのですが、皆足がしびれどうしても早口粗雑になるため、またお説教と正に苦行でありました。自由時間には、早い食べ方を教授されたり、作務の楽しさを話したりで、次第に仲間意識が醸成されたのです。

翌日は午前四時の起床で、十五分で洗面を終え、それから座禅に入るのですが、ここでもすぐ寝る者、鞭を入れられると思わず「痛い」と声を

曹源寺での座禅修行集合写真
（禅師と西本教授とともに）

発する者などいやはやでした。二日目の午後終わり頃には、教授がお見えになってお寺さんにお礼を申し上げ、皆の労をねぎらっていただきました。この様にして同門としてお互いの絆が強いものになりました。その時には、もう御免という雰囲気でしたが、何年も経つと懐かしい思い出となり、同窓会ではいろいろ語り合ったものでした。

駆け出しの臨床修行が終わると次は研究室です。私は脳圧・脳浮腫の班でしたが、脳循環代謝の研究も並行して行いました。当時まだ珍しかった酸素電極を用い、犬脳塞栓モデルを作成し、脳の中にまだらな虚血部分が存在することを証明しました。

当時実験動物は自分らで調達する事になっていて、保健所へ犬をいただきに自動車で通ったものです。今では動物愛護法でとても動物実験は行えませんが、研究のためとはいいながら、多くの生命を犠牲にしてしまいました。前にも書いたように、子供の頃か

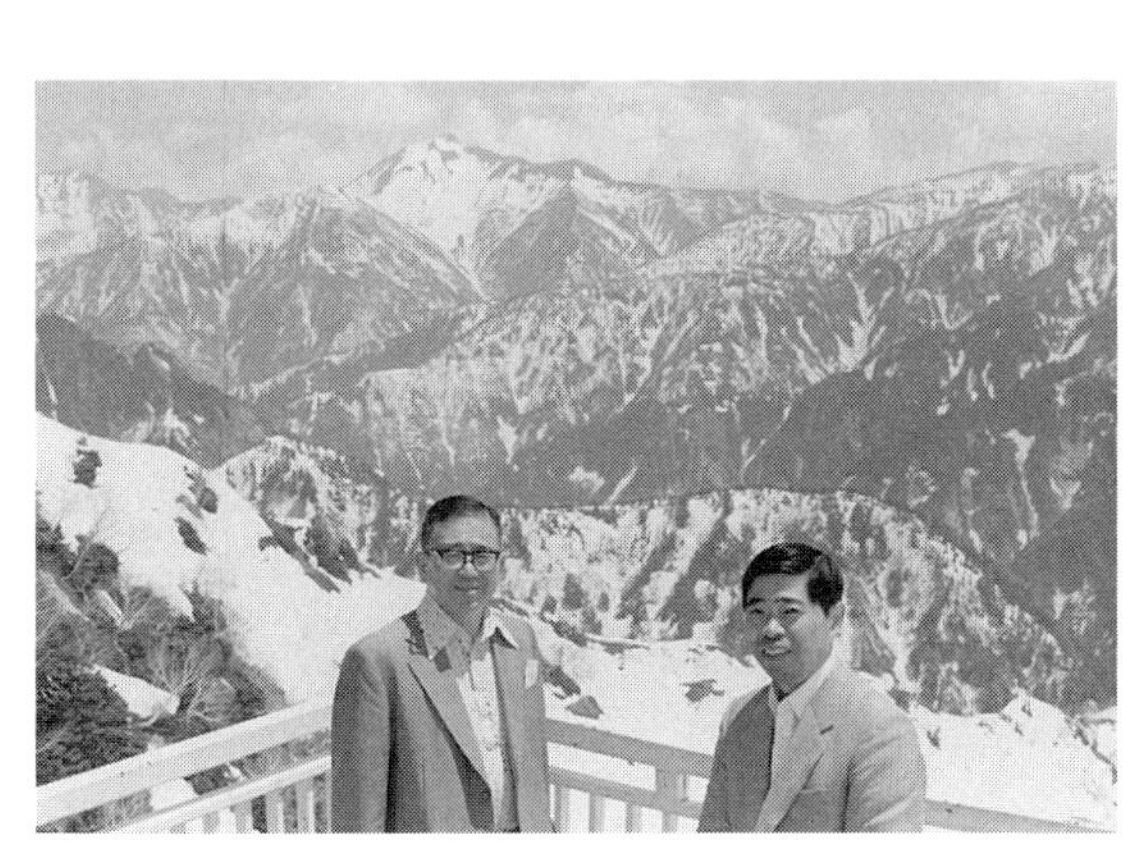

恩師の西本詮教授と黒部ダムにて
（富山での学会中）

ら色々な動物を飼っており、その死も見てきましたので、生命を預かる医師がこれで良いのかと頭によぎる事もありました。考えてみると、我々の食生活はすべて動植物の生命をいただいて成り立っており、これも生命を授かったものの宿命かなと思うのです。

## 五、米国留学へ

一九七六－七九（昭和五十一－五十四）年、三十四歳の時に米国在住の先輩の紹介と恩師の推薦を得て米国・シカゴ市のクックカウンテイ病院脳神経外科（ＣＣＨ）に留学させていただきました。とにかく、世界の脳神経外科に触れてみたいという強い希望があって実現しました。当時、シカゴ大学にはムラン教授、ＣＣＨに隣接するイリノイ大学脳神経外科には、シュガー教授と世界の錚々たる脳外科医が活躍されていました。シカゴで開催された脳神経外科学会では、いま世界の先達はどの方向性を目指しているか、彼らの発言を聞き逃すまいと一生懸命拝聴しました。ムラン先生との会話、シュガー先生は私の肩を抱くようにいつも最近のトピックスについて話していただいた思い出があります。多くの巨人は当時の私にはひときわ輝く存在であり、包容力も桁外れに大きかったのです。今考えれば、この機会が私を鍛え、大きな視野を持たせ、日本では経験できない悲喜こもごもの体験をさせてくれました。最近の若者はどうも内向き志向が強く、海を渡って学修する学生・研修医も減じてきていると聞いていますが、日本を離れ外の生活を経験し、外から日本を見つめるという視点を培うことは、これからの生活の視野を拡げ一味違った人生にすると思うのです。後でふれますが、私が学長時代には、香川大学生が外国に出てさまざまな経験が出来るように資金と機会を作り、彼らを激励したものでした。

　話を戻します。シカゴに着いた日の事は、今でも鮮明に覚えています。初めての海外旅行で身寄りも何もない異郷の地で随分不安で心細く思っていましたが、オヘア空港には神戸大学から留学していた山口三千夫先生が出迎えていただき、地獄の中で仏にあったような感謝の想いでした。十二月二十四日クリスマスイブの日に、氷点下十五度の凍

CCHの表玄関（現在歴史的建造物として保存されている）

てつく空港に降り立ち、まず氷点下十五度の自然の手荒い出迎えには、ビックリでした。何しろ睫毛や鼻毛が凍結し呼吸は何か息苦しく瞬きするとシャキシャキと音がしました。シカゴはウインディ・シティ（風の吹きすさぶ街）として有名で、ミシガン湖から吹き付ける寒風のため、体感温度は氷点下二十－三十度はざらで、病院勤務中は百メートル先の駐車場にたどり着くのも大げさに言えば命がけでした。朝のニュースで今日はバスストップに三分以上居ない様にといった注意報が流されていました。足が凍って感覚がなくなり、歩行困難になってしまうのです。極寒の自然環境の中で生活する機会も今思えば貴重な体験でした。

とにかくボスのムーディ教授が待っているというので、ＣＣＨへ直行したのですが、病院玄関は中世のゴシック様式のような荘厳な雰囲気でしたが、暖房の利いた院内は肌の色が異なる人々でごった返し、拳銃装備の警備員が二、三十メートル間隔で配置され、これはとんでもない所に来たというのが率直な感想でした。ＣＣＨはシカゴ市の市街中心シアーズタワーの近くで二十四時間対応の救急病院でした。大分旧い話になりますが、リチャードキンブルという小児科医が妻殺しの容疑で逃走するハリソンフォード主演のＴＶシリーズ「逃亡者」（映画にもなった）がありましたが、その撮影現場がＣＣＨでした。最近も再上映されましたが、懐かしく病院の各部署のたたずまいを思い出したものです。私の前任者が一週間で日本へ逃げ帰ったとの事は後から聞きました。ひとまずボスに着任の挨拶をしたのですが、クリスマスイブですので一刻も早く帰りたいらしく、慣れない英語で招聘くださったお礼と恒例の日本土産を渡しましたが、「これは良いクリスマスプレゼント」と言って、全ては来週にということで帰られました。その夜、レジデント宿舎に泊まったのですが、強烈な暖房と夜間の銃声には環境の激変とこれからの生活に想いを致し、孤独で眠れない夜だったのです。ボスのムーデイ教授は、バーモント大学のドナヒュー教授の下で、脳外科医ならだれでも知っている脳血管手術に顕微鏡を導入されたヤシャーギル教授と兄弟弟子でした。私には比較的に穏やかに接していただきましたが、レジデントには結構辛辣な態度でした。何とか宿舎を確保し、私の在米生活は始まりましたが、ご多分に漏れず英会話には苦労しました。英語は比較的に得意でしたし、少しは準備をしてきたのですが、会

シカゴ留学当時の私

話の速さと独特のイントネーションに慣れるのに半年以上かかりました。秘書の一人は黒人でしたが、百八十センチ以上の長身で彼女がハイヒールを履くと私の頭が丁度彼女の偉大なバストの位置で、世の中にはすごい女性がいたものだといつも頭上から声を聴きながら、ある意味楽しんでいたのですが…、彼女の南部なまりの英語に慣れるまで、色々失敗もありましたが、今となっては懐かしい思い出です。

私にはイリノイ大学の学生実習と隣接するヘクトーン研究所七階で脳循環代謝の研究を任されました。臨床では、朝七時からの症例検討、回診、ＩＣＵの患者のモニタリング等で否応なく病院の日常に組み込まれていきました。

一応、研究は任されていたので、研究成果をあげるためにも人的環境の立ち上げには気を遣いました。医師は私一人、ＰｈＤは二人、テクニシャンが八人程度で、後者はフィリピン人が多く、第二次世界大戦時の日本人の理不尽な振る舞いをあげつらって反感をあら

ムーディ教授と私（私が准教授時代）

わにする者もいて、困ったものでした。研究は米国陸軍のグラントで、血液希釈をどの程度までするとと脳機能に異常をきたし、そこから輸血すると回復経過はどうか、脳波から誘導される体制感覚誘発反応を指標に検討を始めました。実験動物はテクニシャンらが長年飼育していたバブーン（三十－五十キロの巨大なサルで、豹でも食い殺すというすごい奴）で、九匹の彼らに一郎から九郎まで名前を付けていましたが、次々と実験の犠牲になっていったのです。ボスからは長年飼って食費が多くいるので早く実験で処分をと言われ、テクニシャンには彼らの家族の一員、ペットを犠牲にしてと白い目で見られ、その軋轢は相当ストレスでした。ある時、彼らを食で仲間にと思い、昼食時日本から持参のサッポロ一番（インスタントラーメン）を鍋で炊き込み、研究階へおいしそうな臭いを放ちました。たちまち反応して皆集まってきて、尿コップに分け食べたのでした。それ以来、彼らは気に入ったらしく「ドクター長尾、今日のサッポロ一番は」と催促される

シカゴCCH研究室のテクニシャンらと

ようになりました。こうなればしめたもので、同じ釜の飯を食った仲間という感じで以降、彼らの協力を得たのでした。研究は後に触れるスタッフたちの協力もあり、比較的順調に進みました。

当時、脳死判断の基準は各国・地域で異なっていたのです。そこで少なくても、脳幹機能の喪失をエビデンスとして示そうと考えました。ボスの直接の指示はありませんでしたが、神経学的に脳死状態の患者さんが常にICUにいて、その方々の治療方針に現場が困惑していたのが、以下に述べる実験の出発でした。

動物を使い、耳にクリック音を聞かせ、脳幹部から誘発される聴性脳幹反応に注目し、頭蓋内の風船を膨らませ脳を圧迫して、脳幹の機能異常を持続的に観察すると、中脳から発射される第五波が次第に抑制され、消失すると脳幹機能が回復不可能になる事を証明しました。この仕事は世界的に脳神経外科領域でトップジャーナルとされる『Journal of Neurosurgery』に三篇に分けて掲載され（私がトップネーム）、ボスやCHの職員から随分反響がありました。現在、世界では脳死判定に聴性脳幹反応は必須、日本では準基準になっています。

この様に書くと私のシカゴ生活は順風満帆の様にみえますが、ここまでの道のりはとても厳しいものでした。先に触れたスタッフ間の心理的軋轢や実験道具や材料の調達困難、臨床応用の倫理上の問題、論文作成の難しさなど今思ってもよく耐えて仕上げたものだと思います。日本人は教育システムから英語の読み書きは訓練されていますが、聞き取りと会話能力は低いのです。米国の子供は、三、四歳で聞き話すのは出来るので、ちょうど日本人の不得手の部分は小児から出来るのです。私が最初に論文を秘書に見せ、タイプを依頼した時、「本当にドクター長尾が書いたのか」と信じなかったくらいでした。

それはそうでしょう、何度も聞き返し、碌にしゃべれない日本人が論文を書くのですから、彼らには理解不能だったと思います。

当時はイリノイ大学の図書館で徹夜に近い作業で必死に文献を読みあさり、頭から毛布をかぶり没頭したのですが、一生で一番勉強した時代と思います。お陰で図書館職員やイリノイ大学生とも顔見知りになり、論文がジャーナルに掲載された後では、病院スタッフや学生たちの態度が変わったものでした。女子大学生から「Are you a famous

CCHの外観

Dr. Nagao?」とエレベーターで声を掛けられ、有頂天になった記憶が蘇りました。浅はかなものです。学生と言えば、彼らは実習で私のラボへ来ていたのですが、カットダウンと言って、血管内へカテーテルを挿入する手技を教える機会がありました。やったことがあるかと聞くと皆「もちろん」と自信たっぷりに答えるので、猫を使ってやらせてみると、誰も出来ず出血多量で猫を死なせてしまいました。当時一匹三十ドルしていたので、それだけ無駄にしてしまったと申し渡し、私が一分もかからずカテーテルを挿入すると黙って感心するという具合でした。そして、できる人には敬意を表するようになります。彼らは「自分は出来ない」とは決して言いません。事に当たって全てそういう姿勢でしたが、失敗したら自分で勉強して、「ここまで出来るようになった」と後日アピールに来ていました。日本の大学生と学修に取り組む姿勢が根本的に異なっていて、大げさに言えば、「知らない」「出来ない」は、「自分は無知です」、「降参です」という事を宣言するに等しいと捉えています。従って後日出来なかった部分を自学自習して、自分を高めているのです。五十三、四年前の事ですから、かの国の学生気質も変わっていると思いますが、積極性は不変だろうと推測しています。もう一つ未だに心に引かかっていることがあります。

私の論文が世界に知られたのちに、ボスからＩＣＵの入院患者すべての聴性脳幹反応の検査指示がありました。患者は勿論意識はなく、警官の監視下、多くは犯罪者でベッドに手錠で固定されていました。そして検査の結果、脳幹機能が喪失している旨をカルテに記載すると、その患者は翌日には死亡退院でした。看護師に聞くと指示で人工呼吸器を取り外したというのです。今から五十年前の出来事ですから、現代と医療事情は異なりますが、ボスは無駄なお金が節約できてよいと割り切っていたようでしたが…、今の日本では大変な議論を呼ぶことでしょう。

孤独で困難な米国生活を楽しいものに変えてくれたのは友人たちでした。特に研究室の皆さんは最初は完全にアウェイでしたが、実験終了後、動物や資材の始末、器具の洗浄から床掃除まで一人で深夜に終えて帰るのですが（日本では当然の義務でした）、今までのドクターは誰もやらなかったので、スタッフの受けも次第に良くなり、心を開いてくれました。こちらが「この野郎」と思えば、相手も必ずそう思っていると言って間違いありません。

ピーターと私（中央はPhD、大分アメリカ生活に慣れて精悍な顔つきになっている）

そうなるのを避けるのは簡単な事です。その人を好きになれば良いのです。そうは言っても波長の合う人とそうでない人もあり、心の始末に困る事もありますが、学長になり全く住む世界が異なる人たちと議論する際、この様な心の持ちようの訓練は、自分の心の葛藤を確実に沈静してくれました。一つの処世術と思っています。

もう一人、一生の友となったピーター・ロカフォート先生です。彼は私より二歳年長で、四歳の時にイタリアよりシカゴに移住し、以来心療内科を専門とする心理師で、気さくな好男子でした。数学、医療機器の扱いにも長け、広い人脈を持ち多くの方を紹介していただきました。また彼と私の家族で週末にはキャンプに行っていました。きっかけは、彼が夜遅く研究室に帰ってきて、酔いに任せて彼の家庭事情や私的な話を聞いてあげた事でした。研究万国共通の男の話は特にエキスパートでした。研究に行き詰まると彼の考え方を聞き、夕方実験終了後には、CH前のレストランで深夜までよく飲んで

週末のピーターとキャンプ（手前は長男）

いました。六時までに入店すると「ハッピーアワー」で、二ドル五十セントで飲み放題食べ放題でした。従って深夜帰る時は飲酒運転でしたが、特に事故もなく帰っていました。何しろ、シカゴポリスのパトカーも左右に揺れ二、三車線を使って走っていましたから、ウイスキーのラッパ飲みで寒さをしのいでいたのでしょう。ピーターをはじめイタリア人は日本人に似て、義理人情に厚く、気心が知れるとファミリーとして受け入れ、彼の親戚が集まるパーテイにも呼んでくれました。ご存知のようにシカゴはイタリア・マフィアの拠点の一つであり、アル・カポネの且つての住居もシカゴ北部にあり、彼も北部に住んでいました。ピーターとダウンタウンにあるベリーダンスのレストランで過ごした時間、ライフル射撃で私が信じられない好成績を上げて興奮したこと、キャンプに行ってワインの悪酔いでふらふらになった事など楽しい思い出は尽きません。とにかく陽気で友情に厚く、今でもメールのやり取りをしています。書き出しは、Dear Japanese Brother で、始まり近況や健康状態などやり取りしています。昨年、何十年ぶりかにシカゴを訪れ旧交を温めましたが、面影、性格は全く変わらず、お互い長生きしようという事で、楽しい昔ながらの乾杯の時間を共有したのでした。本音で語り合った心の友は、一生の宝物ですね。

また、米国滞在で感じたのは、彼らは旅人に対しては鷹揚であって、永住するとなると偏見や差別が存在するようです。旅行しても、レストランでは出口近くに座らされ、ある所では予約でいっぱいと断られたり、不快な思いもしたことがありました。この傾向は英国はじめヨーロッパにもあり、これまで世界各国を訪れましたが日本人ほど親切な人種はあまり記憶にありません。現在、外国から多くのビジターが日本へ訪れますが、彼らにとって随分滞在しやすい「おもてなし」環境と公共の安全性も訪日の理由の一つではないかと思います。

論文を発表してから米国有名大学から、高給で招聘状をいただきましたが、西本先生の判断で帰国しました。米国滞在中や帰国後の国際学会で多くの友人が出来ました。彼らの母国・有名都市の風景が懐かしくよみがえりますが、殆どの友人は帰らぬ人になってしまいました。

二年余の米国留学の経験は私の人生を大きく変えました。国、人種、思想信条、価値観などの多様性に接し、それらに折り合いをつける苦悩の毎日でしたが、以降の人生で何があっても驚かない心の持ちようを鍛えていただきました。大げさに言えば、私の人生の背骨は留学経験で培われたものと思っています。

グローバル化が進展する将来に生きる若者は、海を渡って生活し、多くの経験をして、そして日本を見つめなおしていただきたいと期待しています。

## 六、指導医としての経験

一九六九（昭和四十四）年、三十七歳の時に帰国しましたが、その頃が人生で最も馬力があり、自信に満ちた時代だったと思うのです。講師に昇任し、学生教育、若手医師教育、研究指導、手術そして国内外の学会発表など精力的にこなしました。米国ミシガン大学、シカゴ、タンパ、カナダのトロント、ヨーロッパでは、英国グラスゴー、エジンバラ、ミラノ、ミュンヘン、豪州では、ゴールドコースト、メルボルン、そして教え子たちの多い中国の西安、広

国際学会発表（ミュンヘン）

ミシガン大学でのカンファレンスでプレゼン

国際学会でグラスゴー大学チースデル教授とシンポの共同座長

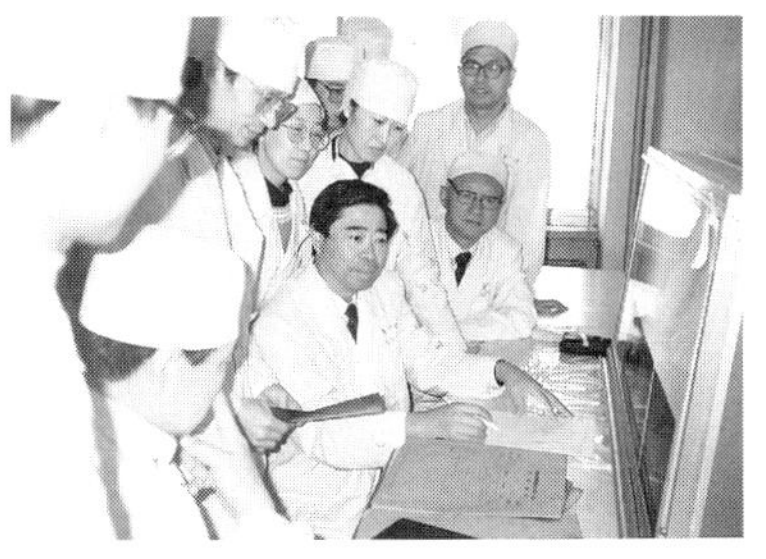

中国広州第一軍医病院で弟子たちとフイルムカンファレンス

州、大連その他多くの地を訪れ、学術交流と研究仲間との情報交換は国内の雑務を忘れて、視野を拡げ自分を鍛え大きく成長させていただきました。特に、ミシガン大学脳神経外科のホフ教授には、後日教授職に就いた時、道標をいただきました。彼は七、八歳先輩でしたが、教室のトップの者が身に付けるイロハを教授いただき、生涯の友人でした。研究領域、研究と臨床との考え方、若い脳外科医に対する指導方針など考え方がよく似ており、二人で酒を飲みながら話し込んだものでした。心を開いてすべてを晒し、言いたいことを互いに話す…なんと楽しい時間であったか、今でもその時の彼の表情、雰囲気を鮮明に思い出します。この様な付き合いは、人生の宝であり、国境を越えても心情は普遍であると心から思うのです。彼は私の教

国際学会の会長招宴で
世界の仲間と交流

室から医局員を十一名（各二年）受け入れていただき、二十年以上お世話になったのですが、残念ながら七十歳の時、地中海記念クルーズ中発病して厳しい闘病の後、旅立たれました。私の手元には、病床で書かれた手紙に震えた字で「もう一度、長尾や教え子たちに会いたい。あの美しい瀬戸内海を見たい」と書かれており、いつも懐かしく拝見し数々の情景を思い浮かべるのです。ホフ教授との思い出は、日本経済新聞（二〇一二年八月十四日号）の「交遊抄」に掲載されました。肝胆相照らした友人には国境はありません。人生を豊かにするために多くの心から話せる友人を持ちたいものですね。

話を元に戻しますが、岡山大学講師、医局長を経て、一九八六（昭和六十一）年に地元の当時大本教授が主催されていました香川医科大学脳神経外科の助教授として赴任しました。私の生まれ育った香川ですから、多くの知人友人が身近にいて、以来住み心地

ミシガン大学ホフ教授との会食
（2人でよく長時間話し合った）

の良い生活を送らせていただいています。五年後の一九九一（平成三）年に教授に昇任し、教室を預かる責任ある立場になりました。医学部教員には、学部学生の教育、研究、手術を中心とした診療そして教室及び病院運営の責務があります。

私の教育方針については、学長在任時、リネハン米国神戸総領事とのお話しが印象に残っています。リネハン氏は外交官ですが教育にも造詣が深く、私の教育方針に辛抱強く耳を傾けて下さいました。お話しした概要は以下の通りです。

教員として、学生や若い医師に接する場合、人それぞれに得手不得手がある。それを見極めるのが指導者の仕事で、彼らの秘められた才能や興味、特技らを見極め、それらの芽を伸ばすような分野へ誘導するのも大きな仕事と思っています。例えば、脳の手術をさせても、どうしても途中で手が止まってしまう者、越えなければならない大きな山場をどうしても超えることが出来ない者は、各々の希望や興味のある分野へ人生の方向転換を示唆したり、いつでも交代できるように

私の教授昇任祝いを医局員と

手洗いをしてじっと後ろに控え、手術を成功に導き豁然として腕に自信を持った者など、型にはまった指導をしない様に配慮した結果、救急医、精神神経医、神経内科医、神経放射線医などそれぞれの分野で立派な医師として活躍している例はいくらでもあります。教授といえどもすべての分野でエキスパートではないので、自分の及ばない分野は、国内外へ留学してそれぞれの先達に教わることも大切な事。例えば、当時血管内手術と言って、細いカテーテルを股動脈に入れて、脳内に誘導して脳血栓を溶かせる、あるいは動脈瘤にコイルを入れて再発を防止する方法が導入されました。本邦では京都大学の菊池晴彦教授の教室がトップでしたので、お願いして二、三人教室員を指導していただきました。今では立派な指導医になって、後輩を養成しています。また神経再生医療では、慶応大学の岡野栄之教授に指導をお願いしました。これら先達は快く私の申し出でを受け入れていただき、修練医は立派な指導医に成長しています。偉大な教育者には人材育成に快くご助力いただきました。後輩をいつまでも自分の近くにおかずそれぞれの分野で育てる考えは、ホフ教授から伝授されました。

そして自分自身は、世界の臨床の一線がどの方向に向かい、最先端の研究はどこまで進展しているかなどの知識を、国際学会やジャーナルで頭に入れ、本職の手術のブラッシュアップは常にしていた事、そして何より、自分の時間を犠牲にしてでも誰よりもよく働く事を心掛けたなどお話ししました。後日メールで私の教育の方針は次の三つになると書かれていました。

一、Love your students（あなたの弟子を愛しなさい）
二、know your subjects（あなたのやるべき仕事を反芻しなさい）
三、Lead by example（みんなの規範になりなさい）。

この様に見事に私の教育方針を纏めていただきました。

## 七、臨床の現場

脳神経外科医は常に重症頭部外傷、脳卒中（脳血栓、脳出血、動脈瘤破裂によるくも膜下出血）、脳腫瘍の急性増悪、原因不明の意識障害らの患者さんに対応しなければならないので、いつ何時でも即応できる態勢でないといけないのです。急患の呼び出しがあれば、すぐに現場に駆け付け対応することが要求され、特にトップの指導医には、心身が休まる時間は殆どなかったのです。自分に与えられた義務責任を常に念頭に置き生活をしていました。全ては患者さんのためというのが、恩師の教えでした。今、医師の働き方改革が進みつつありますが、突然発症する先に書いたような患者さんの対応は一刻一秒を争い、例えば、脳出血で瞳孔が開き始めたら、十五分以内に頭蓋骨をあけ（開頭）、脳への圧迫を減じなければ、死か遷延性意識障害になってしまうのです。その様な患者さんを目の前にした脳神経外科医の焦燥がお判りになると思います。正に戦場なのです。私は「何時間働いたから休ませてくれ」とは口が裂けても言えない訓練を受けてまいりました。今の若い医師たちが働き方改革の推進によって、その様に生命に直面している患者さんを扱う医療現場が混乱しないような制度設計が必要なのです（五十年以上前のシカゴの病院では、午後五時で主治医は当直医に交代し、急患時には第一コール、第二コールと医師の負担を軽くしていました）。

約四十年間の診療を通して、心に残る患者さんの話をしましょう。

まずお話ししたいのは、医療の現場はＴＶや漫画・小説に描かれているような華やかな成功物語、ハッピーエンドの現場ではないという事です。私自身、胸ぐらをつかまれ暴力を受けたり、蹴られたり、手術前に併発症や転帰についてあらゆる説明をし、承諾を得ているにもかかわらず、いわれのない投書など深い心の傷を負った時があります。その様な時には、心が萎え食事も睡眠もとれず厭わしい夢ばかりで、心身ともに衰弱状態になる事もありました。脳神経外科現場では、一刻を争う患者さんを頻繁に扱う上、手術はいつも成功するとは限りません。手術中に予期しない出血があったり、すべてスムーズに手術が進行しても、説明のつかない併発症に遭遇する時があります。その様な時、脳外科医は手術過程全てをビデオで見直し、自身の修練をするのです。私は手術直後自分の部屋に帰り、手術経過を術野のスケッチと共に、記載していました。これは私の宝物で十冊以上の大学ノートに術後経過を含め記録して、「not to do」として、次回の手術時には、それを熟読後、望むようにしていました。三－四千例以上の手術に立ち会っていますが、全て上手くいった手術はむしろ記憶になく、難渋したり予期しない併発症に遭遇したり、とても難しい手術しか記憶に残っていないし、私を鍛えてくれませんでした。

そして、経験を積むとまず外来診察時、入室してきた時点で、この方は頭蓋内に病変があるなと勘でわかります。頭痛の訴え方、小脳病変時の歩行の仕

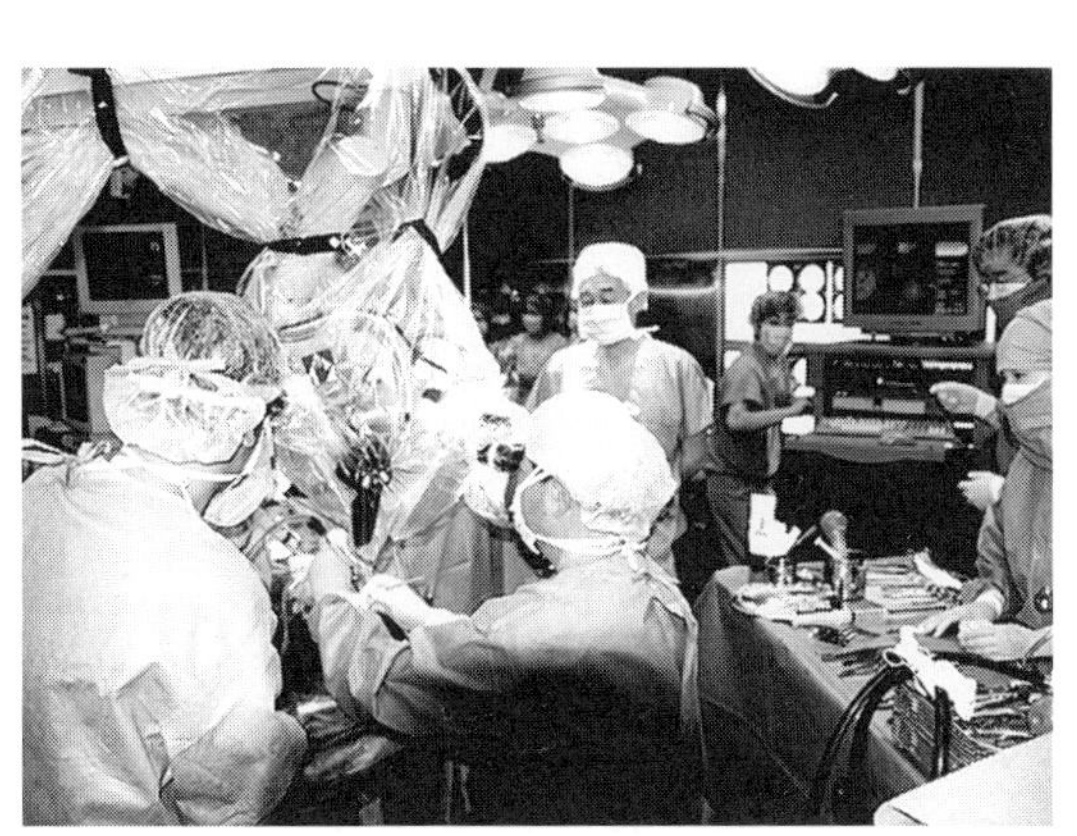

私の手術中の写真

方、脳腫瘍時の重症感と話し方、眼球の動き方など挙げればきりがありません。一方、精神科領域の方も訪れてこられますが、脳の精査後手術をする器質的な病変がないからとお話しして、専門領域に紹介させていただきました。

また、指導医となって患者さんや家族への手術説明を行いましたが、ある患者さんのご家族に脳動脈瘤の手術の詳細や危険性、合併症、など三十分以上お話ししました。十人位の方が納得されて退室の時に、一人の方が「先生、最後に一つ伺いますが、どうしても頭蓋骨は開けないといけないのですか?」と質問されました。動脈瘤の複雑なスケッチを示して難易度をご説明するより、脳を空気にさらす「開頭」という事がご家族にはもっと深刻な問題だったのです。我々は当然の事とすぐ頭蓋内の話に入りますが、その前の段階に配慮が足らず専門的な説明に終始していたのだと気づかされました。大きな落とし穴でした。

ここで具体的に私に教えていただいた患者さんに触れます。

【ケース1】それは四十年前の岡山大学時代にさかのぼります。私が米国留学を終えて、手術にも手ごたえを感じ自信をつけつつあった時です。私が脳動脈瘤の手術をさせていただいた地元では有名な俳人から退院時、次のような俳句を渡されました。

「カナブンを　起こしてやれば　飛び立ちぬ」

これは夏の夜、窓の外より飛んできたカナブンが、白いシーツの上で逆さまになり、足をバタバタさせている。それをひょいと起こしてやったら、窓から飛び立っていった情景との事。「先生。医師や看護師さんは、結局こういう事をされているのですよね」と言われました。患者さんは一時的に医療者の世話になるが、一寸手助けをすると、すぐ何もなかったように羽ばたいて元の世界に帰っていく。我々医療者は患者さんの自然回復力を信じて、専門職としてサポートさせていただいている。この様な謙虚な気持ちを忘れてはいけないと思う。この旧い思い出は私の心に深く刻み込まれています。患者さんの自然治癒力を信じ診療を継続する基本的医療者の心の持ちようを教えていただきました。

【ケース2】十歳の女児。肌が透き通るように白く可愛い子で誠に素直な子供でした。足がもつれ時に頭痛がするという事で受診されました。検査の結果、相当進展した悪性脳腫瘍でした。手術・放射線治療を行い、一時的に軽快しましたが再発、呼吸も困難になりました。意識朦朧となり気管切開が必要になった時、その子にここを手術すると声が出なくなるが、ご両親に何か言う事があれば…と聞くと、彼女はかすかに「お父さん・お母さん有難う」と言ったのです。ご両親も私たち医療者も思わず涙したのでした。小児脳腫瘍は比較的に悪性が多く、私たちの力及ばず亡くなるケースが多いのです。神様は何故この様な幼気な子供に試練を与え給うのか…その理不尽に心ふさがれる思いをしたものでした。自分の力量の不足、現代医学の未熟さに悔しくて、もっと研究を進めて将来に備えたいと心に期したものです。

【ケース3】四歳男児。頭痛と意識障害で搬送されました。検査の結果、脳正中部に四センチの腫瘍があり、その為脳室に水が貯まり水頭症を併発しており、緊急で水を外部にドレナージする手術をしました。後日、後頭部正中から腫瘍の全摘出をしました。脳に迷入した奇形腫でしたが、全く後遺症なく退院されました。現在も健康な生活を送っているという事です。この様な良好な経過をたどる例は、脳外科医になって良かったと心から嬉しいものです。

【ケース4】十六歳高校女子生徒。物が二重に見える、頭痛で来院。検査の結果、右目の奥に大きな動脈瘤があり今にも破裂しそうな状態でした。緊急手術で瘤を処置して破裂を逃れましたが、ご両親がいくつもの病院へ行ったが、原因不明と言われたとのことでした。破裂前に診断処置をしてくれたと感謝されました。動脈瘤は四十歳代から好発するくも膜下出血の第一の原因ですが、この様に若い方も居られるのですね。それと時期が進むと神経症状がはっきりして、専門医が見ると診断は容易で、従って治療がすぐできることになります。初期であれば、まさか高校生に脳動脈瘤があるとは考えないのが普通でしょう。決して前医のミスでない事をよくお話ししました。

【ケース5】五十六歳女性。右中大動脈に三ミリ程度の動脈瘤がありました。この大きさではすぐ手術をとはお勧めできません。無症候の小さな動脈瘤は、まず経過観察が主流なのです。半年ごとの画像診断で動脈瘤の経過を見ることにしました。その後、検査をされてなかったので遂失念していたのですが、十年後、突然の頭痛ですぐ診察をと…緊急の連絡がありました。病院到着時には、昏睡状態で瞳孔は両側散大し、手術適応はありませんでした。この場合、こちらから連絡しても定期的な検査をしていればと…悔やまれてなりません。瘤が大きくなると破裂して重篤な状態になると強くお話しして、こちらもその様な方をリストアップして、定期的に検査していただけるようにするべきと強く思ったのでした。未だに申し訳なく思っています。

【ケース6】四十歳の女性。右後大脳動脈巨大（三センチ）血栓化動脈瘤で二回の出血歴があり、右動眼神経麻痺がありました。これは相当難しい手術でした。動脈瘤を完全に処理するには、瘤を開けて中の血栓を除去、そして瘤のクリッピング術が必要です。その目的のために、麻酔科と血管外科のグループにお願いをして、二十度前後の超低体温にしていただき、許容される約六十分以内に瘤を処置することにしました。二十年以上前で日本ではこの手術法は殆ど採用されていませんでした。必死で多くの文献を読み、この方法の弱点や併発症などを勉強しました。手術前一週間は、毎夜病棟のナースステーションで血管撮影らを頭に叩き込み、この時点ではこうしよう、この様な困難にぶつかったら次善の策をなど手術経過に従ったシミュレーションをしました。手術は体温二十度・循環停止で約一時間かかりましたが、血栓除去、クリッピングも成功しました。手術が終了し、朝四時ごろ教授室

國　新　聞　1994年（平成6年）2月3日（木曜日）　第3586

# 超低体温法で初成功

## 脳底部の動脈りゅう除去

香川医大長尾教授チーム

## 15時間の大手術

### リハビリ順調 来週に退院

香川医科大脳神経外科の長尾省吾教授(五二)らのチームがこのほど、患者の体温を下げて血流を完全に止める「超低体温循環停止法」を使い、脳の最深部の巨大動脈りゅうを除去する手術に成功した。この方法による脳手術は国内で二例目だが、患者が完治したのは初めて。同教授は「脳の難手術に挑めるノウハウを得たのが大きい。適用範囲も広がるだろう」と話している。

手術を受けたのは、岡山市西大寺の主婦加藤京子さん(四〇)。

加藤さんは昨年十月十一日に自宅で倒れ、岡山市内の救急病院で精密検査の結

県、脳の最深部に当たる脳幹の直前に直径三センチの巨大動脈りゅうがあり、破裂の可能性が極めて高いことが分かった。

同病院でいったん手術を

順調な回復ぶりの加藤さん（右）を励ます長尾教授＝香川医科大付属病院

ケース６の新聞報道（一面トップ）
＝平成６年２月３日付四国新聞

に帰る渡り廊下でご主人が待っていました。その時「先生が毎夜、毎夜家内の写真を見て、メモしているのを見ていました。家内がどんな結果になっても、先生に全てお任せしていたんです」と言われた時には、お互い手を取って涙しました。その時の薄紫色になり次第に明るくなっていく夜明けの清々しさは、一生で最も印象深いものでした。幸い手術は成功し、翌日、私の指示により手を握ってくれた時には、彼女の生命力と神の助けに心から感謝と喜びを捧げました。その後、一家の主婦として、後遺症もなく変わりなく過ごされています。このケースは、全国的にもマスコミに取り上げられ学会報告時、多くの質問攻めにあったものでした。私にとっても初めての手術で、正に「虎穴に入らずんば　虎児を得ず」の通り、この方法しか救命の手段はないと判断したら、断固進めと教えてくれました。思い出深いこのケースをはじめ、多くの患者さんに、自分の判断で最良と考えた道は、自分の責任でまっすぐ進むべきであると教えていただきました。これらの経験は、留学時代のそれと共に、学長になった時の心の支えになったのです。

学長時代こういう話もありました。ある小学校高学年にお話をという事で、私の人生経験を踏まえて若者に激励の話をしました。その中には、医師としての生活や医療現場の話も入っていました。後に校長先生から子供たちの感想文が送られてきましたが、その中に「僕のお父さんは、先生に救われました。当時幼稚園でしたが、先生はお父さんは今必死で病気と闘っているので、君も元気でしっかりやりなさいと頭をなでてくれました。先生が居なければ今の家庭はなく、命の恩人です」という内容ものがありました。かすかに思い当たる方がいましたが、私の努力が報われた方々もいることを知り、心から脳外科医になって良かったと心が熱くなりました。苦しい時、辛い時、悲しい時、どうしようもない不調の時ら今思うと苦しいばかりの脳外科医人生であったと思う一方、一隅を照らす存在でもあったのかなと少しはホッとするのです。

私は医療の現場で、多くの方をお見送りしました。少し厳しいことを書かねばなりませんが、どうしても皆さんにお伝えしたいと考えました。先にも書きましたが、患者さんの中には治療の効無く亡くなられる方々がいます。私の専門領域故に、それが予期せぬ突然であったり、年余の及ぶ長い長い闘病生活の後、亡くなられる方もいます。重症頭部外傷、くも膜下出血、脳出血などの患者さんは、急性発症が多く、従ってご家族の方々もその変わりようを理解できない、納得できない状態で先立たれます。「どうにかならなかったか?」「治療は適正であったか?」らの疑問質問は普通で、詳しくお答えしますが、家族の方には、数時間前にはあんなに元気だったのにという信じられない現実を前に受け入れられないのは当然でしょう。何とも申し上げられず、ただ残念でしたと申し上げる空しさは、現場を知る医療者しか分からないと思います。一瞬にして人生を終わられた方々は、どんなに悔しく心をこの世に残されているのか想いを巡らせはするのですが、そういう人生も確実に存在するのです。一方、長年の闘病生活の末、力尽きる方々の死期は壮絶です。心身ともに病み苦労して苦痛の中でその終末を迎える方々は、多くのやりたい事・未練を残し、そして惜別の一瞬を持ちたい者も居る、今の自分が運命とは言いながら悔しくて悔しくてたまらない方もいるでしょう。苦悶の表情で最後の息を吸ってやがて静かになられます。ベッドサイドで立ち会わせていただくとき、この方はどのような一生を歩まれ、今終わろうとしているのか、私の想いは果てし無く広がりそしてフェードアウトしていきます。どの方もそうですが、黄泉の国に帰られた病める人は、たちまち苦しみを脱し安らかな静謐の表情になり、全てを受け入れているように感ぜられます。それはこの世からあちらの世界に旅立たれた安らぎであり、それまでのご本人の雰囲気やオーラも全くなくなり、実に厳かな仏様のお顔になられます。苦しい治療を我慢していただいた感謝しかありません。

この様な機会に多く接しますと、自然とその方の死が予言できるようになります。誠に不謹慎で申し訳ないのですが、例えば病棟回診の折に、不思議と患者さんの生命力が薄く感ぜられ、生きる力が次第に先細りになるように訴える何かがあるのです。私は主治医に「あの方は影が薄いから気を付けるように」と注意することが何度かありました。術後、しっかり食も進みリハビリも順調という人の中にもその様な方がいました。主治医は吃驚して治療に励むのですが、坂道を転げるように様態が急変して、鬼籍に入られるのです。自分でも良く分からないのですが、その方の生命力の火が消えかかり、活力がなくなっていくのが予感できる事があるのです。TVを見ていて、何人かの俳優さんからそれを感じ、どうも影が薄いなと呟くと、何かの変事が起こるのです。画面全体から生命力が薄れていく感覚が頭をよぎるのです。本当に不思議なものです。

先にも書きましたが、人様の生命、健康に対峙する医師には、宗教、哲学、そして科学的知識に裏打ちされた臨床力と卓越した医療技術が必要と言われています。宗教は心の持ちようで、各人異なるのですが、自分の力が及ばない場面に立たされると、神や仏にすがる気持ちになります。私は弘法大師の教えを折に触れ勉強しました。哲学は医師が患者さんやご家族との交流、医療の実践の過程で獲得すべきものと考えています。後はどれだけ真摯に取り組むかでしょう。

## 八、基礎および臨床研究について

私は駆け出しの頃から先輩から珍しい両刀使いと言われていました。誤解しないでください。臨床と研究の両方を推し進めることのできる人間という事なのです。手術が上手い人は研究がえてして不得手で、その逆の医師も結構多いのです。

患者さん診療中心の臨床医に基礎研究は必要かという質問をよく受けます。基礎研究を推し進めるには、主題の選択（なぜこの研究が必要なのか）、作業仮設、目的、実験方法、結果分析の妥当性、そこから導かれる結論が正当なものであるかなど多くの関門があります。多くの基礎研究に携わるとよく分かりますが、論文の中には作為的な手法や分析に不条理を見つけたり、結論と一致しないデータにも遭遇します。研究成果を客観的に分析し、科学的な根拠として正しいものかなど批判的に論文を読む能力が身に付きます。この能力は臨床の現場でも欠かせないセンスなのです。私の恩師は「手術は見て覚えろ主義」でした。手術も修練していく過程で、横で見ていて私ならこの場合こうするという別手を考える事もあり、また後輩の手術を後ろで見ていて、ここはこうやって切り抜けるのが上策と判断できるようになります。丁度基礎実験の成果を批判的にみていると同じ経験をします。従って、この点はホフ教授とも意見が一致しましたが、臨床家を目指す人こそ基礎研究が必要であると思います。

人には本能的に自分の生きていた証を残したいという気持ちがあります。子供を産み立派な人に育て上げる、あるいは立派な論文を末代まで残したいという気持ちがそれなのです。私は、個人的には人（私も手術をさせていただいた方々も）は、いずれはこの世から無くなります。その点論文を残せば、この世界が続く限り誰かの目に留まる機会があります。その意味において、基礎・臨床論文を書くことは、私が生きた証（分身）を末代まで伝えることが出来ます。その考えで、後輩には論文を書きなさいと指導してきました。ここでも得手不得手があって、どうしても書けない人はいるものです。研究を長く続けると先にも書きました様に論文の真贋が分かるようになります。若い

香川大学医学部同門会集合写真

時には、世界的なジャーナルの内容を信じていましたが、経験を積むと懐疑的に論文を読むようになりました。例えば、ホフ教授との会話の中でも、「お前はあの論文、発表を信ずるか？」という事が時にありました。不思議と私が感じていた違和感と一致していたのです。少しでも手を加えたり、強引な意図的な手法は読む人が読むと分かります。若い研究者は是非心にとめていただきたいと思います。

私の教授時代から病院長時代にかけ（一九九一‐二〇〇八（平成三年‐二十）年三月）、十七年間で教室員約五十名の脳神経外科が私と共に、学修し手術の腕をみがき、それぞれの立場で社会の一隅を照らす人材になってくれました。心身ともに疲れる臨床の現場で研鑽し、社会人としても逞しく成長した彼らを見ていると数え切れない苦労や心のやり場の始末に、じっと辛抱して耐えてきたであろうと思うと、皆を抱きしめたい気持ちになります。年一回の同門会では、彼らに会う機会を至福の時間と思い、私自身も命ある限り高みを目指して歩まなければと教えていただくのです。私の心の修養は後に記します。

## 九、香川大学医学部附属病院長の時代から

二〇〇三（平成十五）年十月、当時の香川医科大学と旧香川大学が統合して、半年後、平成十六年四月に国立大学法人香川大学としてスタートしました。統合時、私は附属病院長に任命され、それまでの考え方や生活パターンが一変しました。同時に新医師研修医制度も始まり、病院運営が大学全体の命運を左右する事となりました。それは全大学の運営費交付金は、十二月末に決まり大学の施策実行のプランが動き出しますが、病院への交付金は全学の半分くらいを占め、病院経営が計画未達であれば全学に影響を及ぼす事になります。就任前病院は毎年、一－二億円の赤字で年末に文科省に補填されていたのですが、法人化後、病院経営はすべて自己責任で解決しなさいということになりました。文科省からは、二年以内に黒字にしなければ病院は存続しないと言われ、また診療報酬の二パーセントに近いマイナス改定があり、医師の卒後研修医制度

病院長室にて執務中

の開始もあって、二重、三重苦の本当にきつい毎日でした。大学病院では従来、教育研究に重点が置かれ、経営には関心が薄かったのですが、それでは存続しないので、まず職員（特に医師）の意識改革に力を注ぎました。全職員を集めて、この一年では何億円の収入を目指し、二年後には絶対黒字にするとの計画案を年三－四回説明しました。最もよく反応してくれたのが、中堅の医師群（医長クラス）と看護部でした。まず考えたのは、病院予算は、人件費と物件費に分かれ配分されていたのを、当時の木村好次学長にお願いして、一括で病院に頂き、病院長責任で病院機能の高度化と実情に見合う人件費の配分をしました。これで随分機動的な病院運営が出来るようになりました。一年目は四億円増収を目指して、様々な意見を拝聴しながら強化すべき部門を挙げ、また新しい機能強化（救命救急部門の強化、総合周産期母子医療センターの新設）についても、全国的にも早期から取り掛かりました。毎週半日をかけ、病院の全部署を巡回して問題点をチェックし、何よりも職員と顔を合わせて話すことの重要性を勉強しました。各部署へ行くと「先生目標達成はどうですか」という質問もあり、病院の一体性を感じたものでした。若者はその時の状況に敏感に反応しますが、歳を取るとなかなか難しい連中がいたのも事実でした。その内、目標は一年で達成し、剰余金は各部署の希望の機器や充実に回せるようになりました。繰り返しますが、病院強化に看護部の協力は必須で、各部署の実態も把握しており、また患者さんに一番近く寄り添っていますので、病院評価は彼ら集団の力に負うところが大きかったのです。トップダウンとかボトムアップとかの政策遂行の型がありますが、私は皆で行こう「スクラム型」が一番と教えていただきました。この教訓は学長になった時にも組織運営に参考になりました。前にも書きましたが、法人化は病院の雰囲気を一変させ、赤字病院では、働け働けという事になります。その時、構成員の中で一番働けば文句はないだろうと、朝は六時半、帰るのは午前様で、四年半の在職期間、只の一回も外の病院でアルバイトはしませんでした。正に労基法違反の状態でしたが、幸いにも健康に恵まれました。構成員約千人の職員の意思を纏めるには、各職場のオピニオンリーダーは誰か、その内、こちらに顔を向けている者を判別し、そして何より積極的に斬新な意見を持っている者を見出し意見を挙げてもらう方法が、大きな組織を纏めて一定方向へ導く要諦である事を知りました。組織には、どうしても反対のための反対と言う者もおり、それには焦らず慌てずゆっくり時間をかけて、シカゴでやったように「好きになる戦術」で対応しました。そうすると時間の経過とともに自然と病院全体が一体性をもって動き始めたのでした。四年半の任期でしたが、定年退職時には、年数億円の黒字が出る病院になりました。

新医師臨床研修制度への対応も病院長の大きな仕事でした。出来るだけ多くの研修医を確保して、病院次代の人材育成と地域医療への貢献に資するためには、どうしても若い医師に大学に残ってもらうしか無いのです。そのため、彼らのニーズに合った二年間の研修プログラムの作成と見直し、指導医への教育の心構えの指導、学生へのニーズ調査とアピール、そして私が重視したのは、その核となって推進していただく人材確保（指導医と事務職）でした。また研修医確保のための、ハードの整備にもずいぶん配慮しました。詳細は別文に譲りますが、一時一桁台まで減少しましたが、指導医や研修センターの努力で毎年三十ー四十名が香川大学研修医として残ってくれて、地域医療の一線で活躍しています。私が病院長時代、多くの有能な人材に恵まれ、シカゴの病院でもそうでしたが、人の連携（良い人間関係を築く）ほど結果をだす事を改めて思い知りました。

## 十、香川県厚生連理事長時代

平成二十年三月長かった医学部教員を定年退職しました。四か月後、元香川医科大学学長であられた田邉正忠先生の後継者として、香川県厚生農業協同組合連合会（厚生連）理事長に就任し、二病院の運営に携わる事になりました。香川県厚生連屋島総合病院と滝宮総合病院、そして厚生連健康管理センターかがわです。両病院とも耐震基準をクリアーしておらず、早急な再開発が求められていました。ＪＡ香川県には、五つの組織があり大学以外の生活を知らない私には初めてのことが多かったのですが、宮武利弘会長さんをはじめ執行部の方々に好意的に受け入れていただきました。有難い事でした。まず、滝宮総合病院の再開発については、老朽化が進んでおり、県内最大手の検診業務も引き受けていることもあり、職員に一層の運営活性化を依頼するとともに、経営の重要性をお話ししました。

病院は、一言で言って全てが二十年前の雰囲気であり、これまでの医療者としての考え方の見直し、先端医療の方向、患者ニーズの変化への対応、医療者相互の交流の在り

JA香川県厚生連理事長室にて

方など、誠に率直にお話しさせていただいた記憶があります。このままでは入れ物を新しく作っても、そこで働く人材が目覚めなければ、厳しい医療界を生き延びることは難しいと感じていました。

今から思えば、大学病院しか知らない私が誠に失礼なトンチンカンなお話をしたと思うのですが、職員の士気を高め、経営努力で何としても黒字にしないとＪＡの各組織からの支援は困難なこと、今回のチャンスを逃せば恐らくこの病院の前途はないだろうとの強い思いからお話ししたのでした。関係者で構成される経営管理委員会では、（一）高松市東地区と県東部の医療提供に屋島総合病院の存続はどうしても必要。（二）県南にある滝宮総合病院は、今人口が県南に移動しているし、総合病院がない事、そして香川県の健康診断をほぼ一手に引き受けてきた予防医学の砦である事、（三）何よりも二〇一七年度には、両病院には厳しい耐震基準が適応され、それを満たさない病院の設置は認められない事。それまでに病院設計と盛土までの工事進捗の事実があること。（四）今なら香川県から助成金が得られること。などを全組織にお話しして、理解を得られるように努めました。ＪＡ香川の各組織の責任者の方々、各経営管理委員会の会合で何度お話ししたことでしょうか。両病院の状況は分かったが、資金調達はどうするかでいつも話は頓挫していました。また監督官庁の中国四国農政局の責任者にも、足しげく通い、状況説明と将来像などについて説明いたしました。当時厚生連の剰余積立金も限られており、ＪＡ香川各団体の協力なくして針の穴を通すような目的は成就しません。今思えば失礼かつ無謀と言えるお願いで、各団体の責任者に集まっていただき、ここで決定して頂かないと厚生連二病院の再開発はないと思い、辞表を胸に決定を迫ったのです。この様な必死の思いが通じたのでしょう…次第に二病院再開発のムードになっていきました。この時にリーダーを取っていただいたのが、中央会の宮武利弘会長さんでした。私の一生に何人かの恩人がいますが、その一人です。改めてＪＡ香川県の五組織の責任者には、心からお礼を申し上げたいと存じます。何とか期限までに両病院の資金の目途はついたのですが、移転の土地交渉はまた大変な苦労でした。先行した滝宮総合病院の土地収用には、当時の長尾常務が当たり、綾川町長にも応援していただき期日までに設計図が引ける敷地を確保させていただきました。地鎮祭や基礎工事が始まったころ、私にも

滝宮総合病院　外観

屋島総合病院　外観

う一つの問題が降りかかってきました。医学部から学長に立候補して欲しいと話があったのです。定年退職して三年で六十八歳、他学部はおろか香川大学自体もどうなっているのか？私がまた教育の現場に戻って、六学部を要する大学を運営できる力があるのか？それにも増して今やっと軌道に乗ってきたのに病院再開発を放り出して、他組織へ移動することが出来るのか？など大きなジレンマでした。理由の第一は、法人化された時病院を纏め、一定の黒字化に導いたことと理解しました。然し、今となっては、それは無理な相談と固辞をつづけましたが、教授会では何度話し合っても纏まらないとの事で、何人もの教授が来られていろいろ事情を話されました。当時、統合後の香川大学学長に医学部出身が就任していなく、どうしても医学部から候補者を出したいとの事でしたが、私には青天の霹靂で、自信などあろうはずはありません。それよりＪＡ香川県の皆さんを裏切ることになり固辞を続けたのでした。それでも大学から要請される一方で、進退窮まりました。そこで辞表をもって宮武利弘会長に事情をお話ししたところ、「先生、人には人生の先は見えない、それだけ言われるのなら受けた方がよいのでは」と意外なお言葉でした。この方の考えの広さ、度量の大きさに今までに無い深い感銘を受けたものでした。その後の経営管理員会では、すんなりと了承され、「ＪＡから学長が出るのなら」と返って激励されてしまいました。実は二、三時間は針の筵と覚悟していたのです。つくづくＪＡの組織はとてつもなく大きく、価値観の多様性に対応される組織であることを身にしみて感じました。後任の藤本理事長の下に屋島総合病院も移転新築され、趣のある病院は今屋島の麓で継続して医療提供の一翼を担っているのを嬉しく思います。理事長時代、膝づめで医療を語った医師仲間たちも高齢化しましたが、今も一線で踏ん張っていただいている姿に頭が自然に下がる思いです。

## 十一、香川大学学長時代

三木町の山の上（医学部キャンパス）しか知らなかった私が、学長に就任したのは二〇一一（平成二十三）年十月で正に瓢箪から駒が出たという事でしょうか。六十八歳になって六年間、七十五歳になるまで私の人生でこの様なドラマが残っていたのには、自分ながらビックリです（この時のエピソードなどは、『文化連情報』五〇二－五〇五号に詳しく記載させていただきました）。

香川大学は、四つのキャンパスに分かれ、文系は教育学部、経済学部、法学部、理系は医学部、農学部、工学部の六学部で、教員約六百五十名、学部学生約五千六百名、大学院学生約七百名の中規模の地域大学です。私は医学部の事しか知らない世界で過ごし、他学部がどのように運営され、実績をあげているか全く門外漢でした。ただ漠然にそれぞれの学部中心に大学は運営され、一体性の乏しい大学という感覚であったと思います。理事・副学長を各学部の指導的立場にある教員を中心に形成しましたが、大学内では当然初お目見えの医学部出身学長にアウェイの状態でした。しかし、次第に各学部の主だった教員の方々とお話しする時間が出来ました。各学部には、長年培った教育理念と歴史・実績があり、見識の高い広い経験を積まれた教員が多くいることが分かりました。松尾芭蕉の俳句に「蛸壺や　はかなき夢を　夏の月」と謳われています。夏の月が明るく夜の海面を照らす海の底で、蛸壺のタコは捕らわれの身とも知らず、儚い夢を見ているのであろうと解釈されています。そうなんです、私自身が蛸壺の中のタコになっていたと改めて反省した次第で

香川大学生と学長表彰記念写真

す。然し、昔のまま、学部単位で教育・研究・人材育成を行っていると、新しい世界・社会の動きに適応できない若者を輩出しないか、大きな疑問と危惧を感じました。そこで、翌年の新年会で「塊」という大文字を見ていただき、香川大学は今後一体となって教育研究を進めると方針を掲げました。この様な話をして、そうですかと一体性をもって学部運営が出来るような生易しい大学ではない事はすぐわかりました。そこで学系制を導入して、教員組織と教育組織（学部）を分離し、教員は人文社会科学系（教育・法・経済学部）と社会生命科学系（医学・農学・工学部）のいずれかに所属し、学系からすべての教育組織に出向いて、教育・研究・人材育成を実践する事とする組織改革をしました。この考え方を全学部で説明しましたが、実際に動き出したのは、二、三年後の大学の全体改革が軌道に乗ってからでした。どうして反応は悪いし機動力

卒業式後、副学長らとともに

卒業式での学長告辞

も悪いのか、もちろん指導者の力量にもよりますが、全学部に横串を差すキーワードが無いのです。病院でしたら、健康、病気、疾病治療、予防などの全職種共通の概念が共有されます。そこが各学部の特殊性なのですね。例えば、「人材育成」なども考えましたが、これは今まで実践してきた全学部の方針そのものです。

一方、「大学資本主義」という言葉の通り、現在は大学と社会が相互に関与協調して、社会あるいは地域のニーズに合った人材を輩出し、社会はそれを支えるという流れになっています。その為には、香川大学が外からどのようにみられ、社会が大学に何を要求しているかをしっかり理解することが必要と考えました。そこで地元の自治体、経済界、法曹界、教育界、マスコミ界、有識者等のトップの方々にお願いして、香川大学構想会議を形成し、一年間にわたり期待される将来像を全部局長、研究科長とともに議論していただきました。全学部の教育研究人材育成の指針と実績を遡上に挙げ、外部委員の質問や提言に応える形で大学像を具体的にまとめ上げていきました。二〇一五（平成二十七）年七月に発表した大学の全体改革像は、その様な膨大な作業の賜物でした。忙しい中、一年間十二回に渡って提言や討論をしていただいた学外委員の方々には、心からの感謝を申し上げます。この長期にわたる作業を通して、大学や学部に閉じこもっていた教員に大きな刺激になったと思われ、また現場に立ち会たった学部長や研究科長たちにも、社会と大学のずれを実感していただいたと思うのです。専門職の努力は勿論大きな社会の牽引車でありますが、往々にしてその社会の中での評価に満足しがちなのですが、全く異なった領域や側面からのアドバイスや議論は、大きなインパクトとして組織を変えることを学びました。これも医療の先端に身を置き、患者さんや社会ニーズに敏感にならざるを得ない今までの経験が大きな基礎的な素養になっていたのだと思うのです。

学外委員の方々と言えば、二人の大先輩・香川大学経営委員の天野郁夫先生（高等教育の第一人者、東京大学名誉教授）、文化勲章を受章された末松安晴先生（元東京工業大学学長）のお教えが懐かしく思い出されます。二人の大先輩は、折に触れ私がどの方向の道を歩むべきかをご教示いただきました。多くは語られませんが、じっと私の話をお聞きくださり、金言一滴の道標をいただいたのでした。この二人の巨人は、専門領域のみならず幅広い教養を積まれ、大学執行部との会食の席でその都度、感嘆と尊敬の念を深くしたものでした。世間は広く、とてつもない偉大な方々がおられ、そのそば近くでお人柄・オーラに触れただけで何か自分も一味違った人物になれたような高揚感を感じたものでした。

さて大学改革の際、私が最も悩み苦悩したのは、この混沌とした社会にどの様な付加価値をつけて大学から学生を世に送り出すかでした。四年あるいは六年の学生生活は、余りにも短すぎ、彼らの人生の指針を形成する時間には不足と思っています。六年間の学長経験から私なりに得た結論は、若者にはそれぞれ潜在な能力があり、それを開花させるのは、それまでの多様な経験や挫折であり、その中からこの様な人になろうという決意や閃き・気づきのチャンスを与える事が先輩の責務であろうと考えました。学修は学生時代のみならず一生続けるもので、その中で高みを目指して努力を続ける人になるようにその芽を植え込むのが大学の使命であると考えました。

学生が多様な経験をする目的のために、大学全体の改革に着手しました。

戦後、日本が世界第二位の経済大国になり、世界でも存在感を高めたのは、他国に追随を許さない「日本のものづくり」の成功だと言われていいます。然し、現在では「サイエンスに勝ってビジネスに負けた」という言葉に象徴されるように、優秀な日本製品は、外国でコピーされ廉価で世界市場に出回り、ビジネスに負けます。その他、ものづくりに携わる人材の劣化と高品質を維持する日本人特有の職人気質の希薄化、そして知的財産権の侵害等、色々原因はあると思いますが、ここ一番人材育成の場である大学が率先して行うべき教育があると思うのです。まず、外国でコピーされないものづくりを目指す事、それには、本邦で育まれた文化や過去の頑固と言えるまで伝えられた知識・

経験などをものづくりに導入すれば、外国は同一のものは出来ないでしょう。そうなんです、時代の先端と言われるＩＴ産業の振興も重要ですが、「土着の知」に根差したものづくりが必要ではないか？その様な想いを抱いてきました。そこで従来の工学部を、創造工学部として、造形・デザイン思考を取り入れた新たなものづくり集団の輩出が出来ないか考えました。そこで東京藝術大学の澤和樹学長にお願いをして、私の方針を理解し希望する教員を本学にお迎えしました。その他、松田工業からデザインの大家にも参画いただいて、従来と異なった教員集団を形成し、教育学部からも美術の教員に移籍をお願いしました。こう書くと容易な改革と見えますが、文科省・学部内部の理解と合意を得るのは大変な道のりで、約五年間の下準備期間が要ったのでした。その他、医学部に全国初の臨床心理学科を創設、経済学部の改組など多くの組織改編や人材配置を行いました。動かなかった大学が少しでも社会進歩の中でその先端を走れるように、私の頭の中は改革モードの六年間で

香川大学全学構想と創造工学部の設置

した。その方向が正しかったかどうかは、十、二十年先に評価されるでしょう。

大学改革の成果の一つが手元にあります。二〇一九年度の全国大手会社の人事担当者の評価で、香川大学は「採用で増やしたい大学」では、全国三位、中四国の大学イメージ調査ランキングでは二位と高評価をいただいたのです。本学卒業生に関心が寄せられつつある現状に、日夜「いかにして学生を送り出すか」に邁進した日々の苦悩が改めて思い出されます。後を引き次いでいただいた現執行部の一層の奮闘を期待する毎日です。

**企業人事担当者から見た中四国の大学イメージ調査ランキング（満点40点）**

| 順位 | 全国順位 | 大学名 | 総合得点 |
|---|---|---|---|
| 1 | 5 | 広島 | 32.06 |
| 2 | 31 | 香川 | 30.03 |
| 3 | 47 | 鳥取 | 29.27 |
| 4 | 49 | 愛媛 | 29.23 |
| 5 | 50 | 徳島 | 29.22 |
| 6 | 54 | 下関市立 | 28.98 |
| 7 | 72 | 岡山 | 28.28 |
| 8 | 95 | 高知 | 27.60 |
| 9 | 104 | 山口 | 27.26 |
| 10 | 106 | 広島工業 | 27.22 |
| 11 | 135 | 広島修道 | 26.42 |
| 12 | 143 | 松山 | 26.13 |
| 13 | 150 | 岡山理科 | 25.57 |

注）回答数が少なかった大学はランキングに含めず

令和元年6月6日付日本経済新聞より引用

**採用を増やしたい大学**

| 順位 | 大学名 | 割合（％） |
|---|---|---|
| 1 | 福岡工業大学 | 80 |
| 2 | 富山大学 | 71 |
| 3 | 香川大学 | 70 |
| 4 | 大阪電気通信大学 | 69 |
| 5 | 名古屋大学 | 68 |
| 6 | 千葉工業大学 | 67 |
| 7 | 摂南大学 | 65 |
| 8 | 信州大学 | 64 |
| 8 | 愛知県立大学 | 64 |
| 8 | 鳥取大学 | 64 |

令和元年6月5日付日本経済新聞より引用

# 十二、山の上の寺々：ある脳外科医の四国遍路旅

## （一）発心

私は香川県西部の四国霊場八十八寺の七十一番札所である弥谷寺の麓に生まれました。従って子供の頃よりお遍路さんは身近な存在でした。

私は脳神経外科医として、約四十年間主に大学で教育・研究・臨床（手術）と人材育成の毎日を送って来ましたが、二〇〇八（平成二十）年三月、六十五歳の定年で一線を退きました。

この間、多くの方をお見送りし、また私の判断・経験不足、未熟な技量、注意不足などで大きなご負担をお掛けした患者さんやご家族の方々に対し、自分の責任・後悔のようなものが長年心の底に揺蕩っており、退職後、四国霊場八十八寺の巡拝の旅にごく自然に発心したのでした。

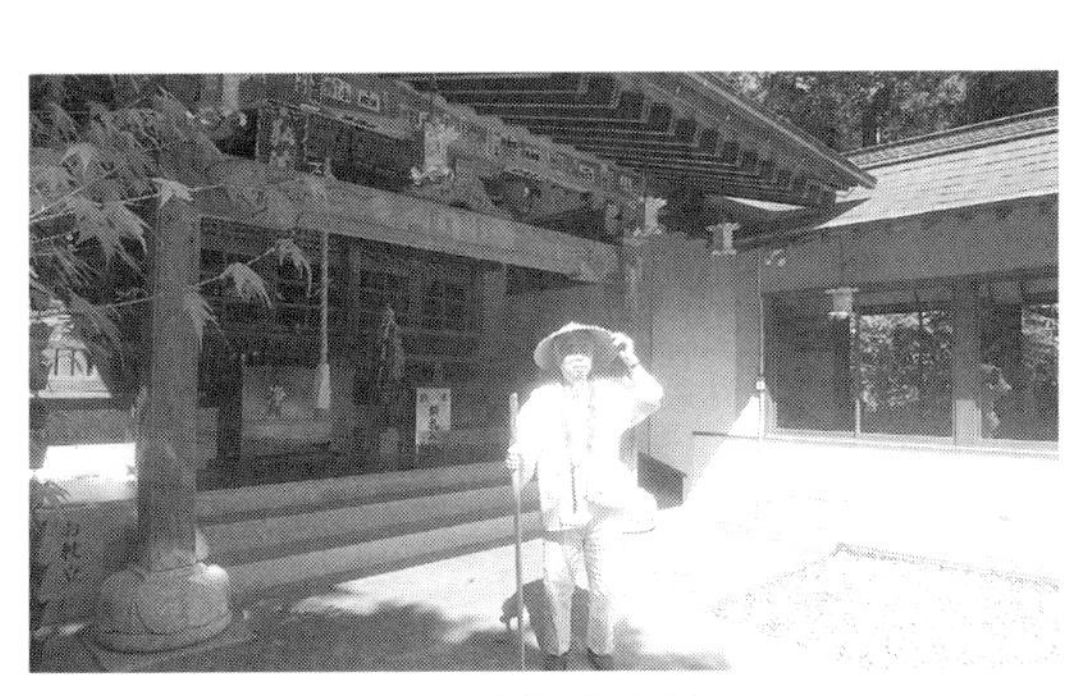
寺に参拝する私

四国遍路の特徴を一言で言うなら、四国四県に点在する弘法大師さんゆかりの八十八寺を巡拝する庶民信仰とされています。

発心については、純粋に弘法大師のお教えを深めるとか、少しでもお大師さんに近づきたいという信仰に根差した方も多いですが、他方ご先祖への感謝、家族や知人の安寧、身近な者の厄災や病の平癒を願ってお寺巡りをする、また自分の過去の心の重荷を清算したいという個人的なご利益を願って巡拝する者等、多岐にわたっていると思います。

願掛けという言葉があります。例えば、不治の病に伏している近親者に少しでも軽快して欲しいと、我が身を苦難の巡拝に捧げ祈願するのです。ご本堂と大師堂にはお札を収める箱がおかれ、そのお札に祈願する項目を書き、自分の参拝の証をお納めします。左様に発心には多岐にわたる動機があり、そのご利益を信じ巡拝を続けるのです。

お寺巡りをしていると何となく心中の波風が消えうせ、心持ちの置き所を見つけ、次の旅へといざなってくれます。これを四国病という人もいますが、とにかく心に余裕と勇気・力のようなものが湧いてきて、身も心も軽くなるのです。お大師さんも多くの願い事に困ったものだと苦笑

自然の中のお寺さん

されている事でしょう。

熱烈な心の在り様を修行する巡拝ではなく、道程の季節や景色の移ろいを愛で、人との新しい出会いもあって、日常とは異なった心持ちで旅を続けるのです。旅の先ざきには札所と呼ばれる八十八のお寺があり、山門と広い静かな境内が参拝者を受け入れてくれます。

庶民信仰として千二百年余にわたって善男善女が参拝を続けてきたのは、そのような気軽な信仰者も寛容に受け入れ、生活の一部として四国の風習として受け継がれてきたからだと思います。

## (二) 遍路道

昔は車もなく歩き遍路でした。相当健脚の者でも二、三か月はかかるとされており、全長約千四百キロの中には、「遍路ころがし」と呼ばれる難所があって、その全道程を踏破し、八十八寺をすべて巡拝するのを結願といいます。今では多くは歩きやすい路として整備されていますが、未だ道なき悪路や障害物があって、年間何人もの方々が行方不明になっているという話を聞きます。昔修験者が悪路や危険をもろともせず一心に信仰の成就を祈ってお山・遍路路を駆け巡る修行をしたと言われていますが、遍路路にも今なお命を懸けた難所があります。私にはそれだけの体力も時間もないため、お寺さんの近くまで車を利用し、それからお参りしています。それでも老体には気力と体力の消耗は相当大きいものでした。

ここで遍路旅の途中で経験したことを二、三お話ししましょう。

まだ遍路を始めたばかりの頃、熱暑の中、ご老人夫妻がヨロヨロしながら歩き遍路をされていて、行き先は同じ寺なので車への同乗をお勧めしたところ、きっぱりとお断りになりました。後で知ったのですが、歩き遍路の方は重い願掛けをされており、親切心とは言いながら声を掛けるのはルール違反であると教えられました。老人ご夫婦は特別な発心で遍路旅をされていたのだと我が身の無知を恥じた次第です。

また、ある寺では高い石段の中腹で倒れているお遍路さんがいました。職業柄、脈を拝見させてもらいましたが、それは弱くまた不整脈が多発し、とてもそのまま見過ごしは出来ない状態でした。団体のお一人でしたが、先行されている方々に声を掛けて、涼しい木陰まで運び休息をお勧めしたこともありました。その方はどうされているのでしょう？青い顔・苦痛の表情を今でも覚えています。

愛媛県の四十五番札所である岩屋寺は、その麓から急なつづら折りの参拝路が続き、健脚者でも難所の一つとされています。ある年、猛暑の中、私は参拝を済ませて下山中でありましたが、明らかに八十歳を超えているご婦人が汗びっしょりとなり、必死に近寄りがたい雰囲気でご本堂を目指して上っておられました。若い同行者は、すでに先に行ってしまいおばあさん一人、何か言葉を掛けたい衝動にかられましたが、あまりのお大師さんに近づきたい気迫におされ、ゆっくりとお参りをと無事な参拝を祈ったのでした。

八十八寺の遍路路の中には、車では対向できない細道や片側は谷底という難所があります。慣れない時にははらはらしながら運転していましたが、次第に路を覚えると何となく対向車が来る予感がしたり、対向スペースに事前に車寄せが出来るようになりました。長い遍路路で対向車に困ったことがあっても、お互い譲り合い、また路をよく知っている方が、適切に指示を出して事なきを得る機会も多かったのです。そして運転手同士の諍いは皆無でした。ここは大師路、無私の心で譲り合うのが仏道に教えられたマナーなのです。

ある台風が過ぎた直後、急峻な山道を車で上っていると、増水した水のために路が川のように砂利に覆われ、激しい水流で車が谷底へあわやという経験もありました。然し何とか無事に今こうして過去を振り返ることが出来るのも、お大師さんのご加護とお導きであろうと感謝しています。

現在、創基千二百年を迎え、四国遍路の世界遺産登録を目指す活動が四国四県で行われていますが、古来の遍路路の保存と文化財への登録が急務であると言われています。千二百年以上前から、民衆が多くの思いやお願いを胸に、自らの足で踏みしめた路には、お遍路さんの汗と涙と厚い信仰心が今に引き継がれているのです。

遍路旅をしていると、自然に手を合わされたり体の一部をさすってくれる地元の方がいます。ある時には、対向する大型車の運転手が私に向かって合掌されているのに気づき、返礼をしたこともありました。金剛杖・遍路笠には、「同行二人」と書かれており、お遍路さんを弘法大師に導かれた化身の者との信仰が今でも残っており、食べ物や飲み物でお接待するのです。それは仏さんにお供え物をする習慣と同じで、またお遍路さんの体に触れることで、例えば腰が痛いと腰に触ると快癒するご利益があるともいわれているかららしいです。おもてなしの心・お接待は日本人の心の美徳であり、四国遍路旅にも連綿と受け継がれている事を肌に感じました。寒風の中での温かいぜんざい、暑さで参っている時の冷たいところてんのお接待には、身も心もほっと癒されこんなに美味しいものかと有難くいただくのです。歩き遍路の方々には、その地方や家々で独特のお接待があり、心身ともに疲れ果てた巡拝者には、仏様にお会いした気持ちになる事もあると聞いています。車遍路の私には、その地の名産の果物やお茶や冷たい水でのお接待もあり、ささくれた心があっという間に消え去ってしまう経験もしました。

　ただ若いグループのお接待体験のような行事には、少しは抵抗感があります。そのようなボランティア活動に参加することには異論はありませんが、押しつけ接待ではなく遍路旅の何たるかを勉強して参加して欲しいのです。要するに心のこもったお接待は、ものを与える心持ちとは異なり、お互い心の通う温かいものであって欲しいものだと思うのです。

　遍路道を訪れるたびに道程に繰り広げられる自然の移ろいには、日ごろの屈託を忘れ心が軽く明るくなります。春には黄色の菜の花やレンゲの絨毯が広がり、子供の頃転げまわって真っ青な空を見上げた思い出、タンポポ・スミレ・そのほか名も知れない花々が巡拝者を迎えてくれます。桜花が咲き誇りヤマブキが黄色い花をつけているのを見ると、あと何回見ることができるか限りある私の人生への想いも頭をよぎる事がありました。

山里の桜花

「さまざまのことを思い出す桜哉」（松尾芭蕉）

夏には、汗びっしょりになりながら涼風の気持ち良い木陰に憩い、野鳥のけたたましい生命の謳歌には、夏の良い時間を過ごすことを願い、沢や小川のせせらぎに疲れた足を冷やして一服するのです。

秋には、たわわに実った家々の柿の木の下をくぐり、穂を垂れた稲田の中を自然の恵みに感謝しながら車を先に進めます。この角を回ると石段の下に今年も桔梗の青い花が咲き乱れているか…懐かしさと期待で心躍るのです。

冬になり、雪が降れば山寺の風景は一変して、まるで水墨画を見ているような景色となります。静寂な人を寄せ付けない清涼としたお寺さんはそれでまた風情があります。特に早朝は静寂そのもので、鳥の鳴き声、雪の落ちる音、控えめに流れる小川のせせらぎに自然の多様さとその懐に抱かれて暮らす人々の営みの切なさに思いがいたります。遍路路を歩くということは、自然の中で自分の存在について思いを新たにする機会なのです。

「歩みしみち　想いはめぐる　寒椿」（省吾）

遍路路を何回か巡っていると、お寺さんや先達さんと目顔であいさつする機会もあり、人との出会いの妙に今までに感じなかった生き方を教わり、自然の中で生かされていることが実感され、日常生活の中では得られない自己啓発の機会となるのです。

一方、お寺さんではお参りしてお経を差し上げることで、お大師さんのご利益を授かるという願掛けの成就を念じるのです。このようにして四国遍路旅は心の隙間を満ち足りたものにしていただいているように思います。

歩き遍路をされている方々にお会いすると、自然に頭が下がります。厳しい自然の中で、自分の体力や心の弱さを克服する姿に、自分には無い生きる覚悟と信念を感じるのであありましょうか。歩き遍路旅は自分の意思で歩くことで様々な人との出会いや経験をしたり、自分の中で自問自答して様々な悩みに解を見つける旅にもなるのでしょう。このように、四国遍路は寺々を巡って弘法大師に直接お教えを乞う面と、歩き遍路の間に自分探しをする時間がうまく重なって巡拝の旅として民に受け継がれてきたのだろうと

寒椿

思います。

## ㈢ お寺さん

山門にたたずみ深く一礼すると、寺それぞれに異なる霊気を感じます。何回お参りをしても、その時々に異なったそのお寺さんの佇まいがあり、それを感じる楽しさや懐かしさのため参拝しているのです。自分自身の心のありようは参拝のたびに異なっており、それが全く新しいお寺さんのような感覚になり、何か久しぶりに故郷か実家に帰ってきた感覚すら覚えるのです。

山門からご本堂・大師堂と巡ってお経を差し上げるのですが、私流のほんの少しの作法をお話ししましょう。

山門ではお参りとその帰りに深々と感謝とお礼の心を込めて一礼をします。参道や石段は端を歩き、お参りの方々に「こんにちは」とか「よ

自然の中のお寺さん

くお参りを」と挨拶をします。これが結構心温まる瞬間で、気持ちよく返答していただくと嬉しくなるのです。金剛杖は橋や渡し木の上では、手で持って足元をつかないのです。昔、橋の下でお大師さんがお休みになることがあり、その休息を妨げないためとの言い伝えがあります。伊予大洲の肱川の氾濫の際、橋下のお大師さんの石仏だけが濁流に流されずそのまま鎮座されていたとテレビのレポートがあったことは記憶に新しいと思います。

洗心の手洗いの清めでは、右手で柄杓を持ち、まず左手、次いで右手の順に手を清め、ついで柄杓を立て後で使用される方のために水で清めるのです。ご本堂にお参りするには、まずお線香や蝋燭を立て仏前を清める（この際お線香立ては中心から始め後の方々がお線香の火に当たらないようにする）、ご本尊の御前では、鰐口を鳴らし参拝をお告げし、祈願したい事項を書いた納札、お賽銭を差し上げ、深く一礼をします。その後、参拝の方々の迷惑にならないスペースで、般若心経を唱えます。大師堂でもほぼ同じ所作でお参りをするのです。

私の経験では、般若心経を丁寧に読み上げ、それに没頭することが肝要に思います。団体でお参りしている参拝者には、所謂先達の方が先導してお経を差し上げています。ここで注意事項を二、三挙げてみます。お経を差し上げる際は、教本を持ち丁寧にゆっくり正しく唱える。暗記され早口で唱えている方もいますが、有難味が伝わらないような感がします。他の参拝者の迷惑にならないように、読経中は私語を慎み、参拝鈴も小さく鳴らし控えめがよろしい。ただ先達の中には作法に口うるさい方も結構いますが、そうならないように自己を次第に磨けばよいのです。自身の心の在り方の修養なのだから、形ばかりにとらわれるのはつまらないと思っています。

次いで納経所に寄り納経帳に記帳をしていただいたり、掛け軸に寺それぞれの印と記帳、白衣に印を押していただくなど巡拝の証をいただくのが手順です。七巡目になると、何かスタンプラリーをしているようで、今では全く納経所には立ち寄りません。中にはこのような証をいただくことで、巡拝の実績のように言われる方もいますが、これは本末転倒というものです。心が誘われ、清められ、高められての四国遍路と思います。

八十八寺を巡ると各寺の札所としての矜持が随分異なる事に気づきます。例えば、境内の清掃の心配り、納経

紅葉の中でのお寺さん

所で対応する方の言葉遣い、特にご本尊のお姿（埃まみれのご本尊もあり）、駐車場の整備、トイレの清掃など各寺で随分格差を感じます。遠い県外からあるいは最近は外国の方々の巡拝も増えており、お寺さんには気持ちよく参拝できる環境の整備を是非お願いしたいと思います。お寺さんにとっては参拝者の一人かもしれませんが、その人には一生に一度のお参りかもしれません。世界遺産を目指すのであれば、霊場界あげてのおもてなしの教育が必要だと思う寺が何寺かあります。そういうお寺に向かう時、心が浮き立たないのは勿論です。

四国八十八寺の大部分は、標高の高い深山に位置しています。仏教の修行には人里離れた雑念の入らない大自然の中で、心身をささげ無私の修練をされてきたのでしょう。ここで私が好きなお寺さんを紹介しましょう。

二十一番札所　太龍寺（徳島県）

徳島県の三大難所の一つでありましたが、今ではケーブルカーで十五分くらいで境内に至るので、周辺の山並みや眼下の川・街並みを楽しみつつ参拝が出来ます。お寺さんの静寂・荘厳なたたずまいは多くの参拝者を惹きつけます。特にご本堂から大師堂へ続く参拝路にある樹齢二百年以上の数十本の杉の大樹に、何度訪問しても心の安らぎをいただけます。大きく根を張って、天に向かってそびえる大樹の回廊は、昼なお暗く、自然の命の深淵さを常に思わせられます。私は「またお参りに来ましたよ」と大樹に抱きついたり、幹に耳を当て自然の鼓動を心に刻むのです。毎日の心の屈託は瞬時に消失し自分の小ささに恥じ入るばかりです。このようにして、心の安らぎと身体全体にみなぎる勇気や力をいただくのです。お寺さんにはそれぞれご神木やご神体と呼ばれている大樹・大石や自然を用いた造形物があり、そっと触ったりじっくり拝見する楽しみもあります。複数の寺々の山門には、国宝クラスの木彫り仁王像もあり、長い年月の間あらゆる心の葛藤を抱いた参拝者を見つめてこられた時の流れを思うとき、自然に頭が下がります。そのような心持ちに誘っていただく遍路旅は、この歳になってやっと現実の医療者の世界から異質の世界を経験させていただいたご利益を有難く感謝できるのです。

## 四十五番札所　岩屋寺（愛媛県）

岩屋寺には、ご本堂の横に見上げるような岩壁があり、わずかばかりのスペースをくり抜いて座禅修行をされたと伝えられています。元気のよい参拝者の中には、かけられた梯子を上り、修行の現場を訪れる方もいましたが、皆一様に思ったより高く、特に降りるときは足がすくむと感想を述べていました。岩肌には、たくさんの仏様も彫られて長年の修行の証が残されています。全く異次元の時間と空間の中で、仏の教えに「心を無」にする修行に一身をささげたのであろう古の人々が自然と一体となり、無私の心まで昇華されたであろう苦難の修行を思うとき、自分の志と度量、能力等の無さに小さい存在に思えるのです。

## 六十番札所　横峰寺（愛媛県）

愛媛県の難所の一つで、車で山頂まで上がるのにも、とても注意と慎重な運転が必要です。もう二度と来れんだろうなと巡拝者がよく言っています。

駐車場からお寺の境内までは、相当坂道を歩くのですが、特に石楠花の季節になると、坂の上から視界が開け、そこにはお寺全体が石楠花に包まれた異次元の世界が広がり、巡拝者を迎えてくれます。別名石楠花寺ともいわれ、その季節には観光者も多く訪れます。お参りもそこそこに微妙に色彩の異なる石楠花山に参拝路の苦難も忘れてしまいます。左様に見事な自然美の中で、お寺さんは静かに巡拝者を懐に抱いてくれるのです。

### 七十五番札所　善通寺（香川県）

弘法大師が誕生した地で、四万五千平方メートルの広大な寺は、ご本堂と五重塔がある東院と生家跡と伝えられる西院（大師堂）からなる真言宗善通寺派の総本山です。子供の頃はお祭りのたびによく夜店に連れられた思い出があります。

もう二十年も前になりますが、高松での学会の折、私の親しい米国の教授をこのお寺に案内しました。悩みや心配事を祈願すると叶えていただけるという事をお話しすると、当時、彼の親しい友人が病気という事で、熱心にお参りしていた姿を思い出します。

もちろん宗派は異なりますが、参拝したことに随分満足していた彼も、もうこの世にいません。私には時の流れに無常を感じるお寺です。

## （四）この巡拝で何を得たのか

私はもう喜寿を超え、七回目の結願をさせていただき、八回目もあと三十寺くらいになりましたが、新型コロナウイルス感染症のため寺々は門を閉ざし、外出も制限されています。

この旅で私は何を感じ、何を思い、これからの人生をどう生きていけばよいかなど、思うままに書き留めたいと思います。

㈠　私は先に述べたように四十年医療医学の世界に身を置き、医学生、後輩医師の指導、研究、脳の手術、組織運営そして最後には専門領域を超えて大学生の人材育成に当たってきました。その時々で心身の限界までベストを尽くしてきたつもりでありました。然し今回の旅でまず気づいたのは、それは社会のごく一部の領域でのこと。目の前の仕事に忙殺され、どうしても視野が狭くなっていました。全く異なった世界を少しでも体感させていただいた四国遍路旅は、私の社会人としての視野を拡げるものになりました。

　残された時間は少ないでしょうが、せめてこれからの時間は今の気持ちを全うしたいと切に思います。世界は広い。惰性で毎日の生活に流されるのではなく、全く別の世界に身を置き、異質の体験をして更に一歩を踏み出す礎にすべきと思います。

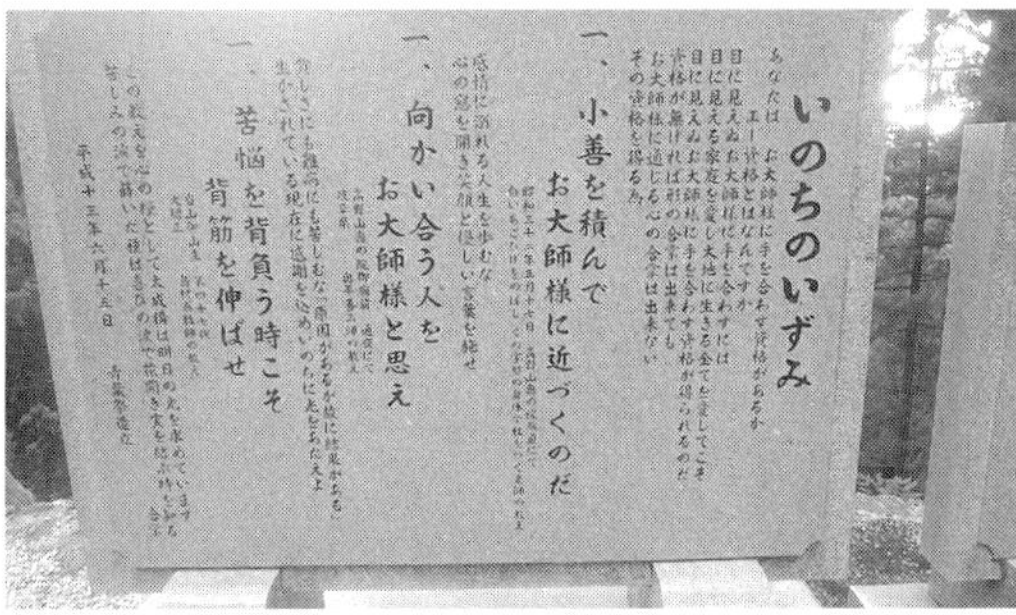

　別世界を覗き見、経験することは、人それぞれに考え方の視野を拡げてくれること



弘法大師の教え「いのちのいずみ」（大龍寺にて）

は間違いないと思います。すなわち自分の専門領域の学修と実践に邁進するオンの時間と専門領域外を経験するオフの時間をとるように心がける事が大切なのです。

㈡ 巡拝を通して強く感じたのは、人は常に高みを目指して努力をしている事です。これは人の本性であろうと思います。異なる世界に足を踏み入れ、精進することによって、人は一つ上の高みに登れると気づかされるのです。将来、高い壁が立ちはだかってもそれを乗り越えていく力と勇気を与えてくれるのです。

人材育成についても、指導者は後進を狭い世界に閉じ込めるのではなく、全く異なった環境や領域を経験させることによって、気づきや大きな飛躍の力を獲得するように指導するべきと思います。

㈢ 念ずれば通じる。私は特に大学運営に行き詰まった時、何とかしてより良い状態にして後輩へバトンタッチしたいと念じていました。大学改革の真っ只中、地域に根差した大学へと新学部設置の構想を胸に巡拝したことがありました。今の大学基本構想はその時に思いついたのです。こうしたいああしたいと思う希望は、常に念じていると縺れた糸がサーと一本の糸になるように、ある時が来ると現実となる事を身をもって体験しました。思いを念じて神仏に祈る話が昔からありますが、本当なのです。「一念巌をも貫く」と昔から言われています。

㊃　七回目の結願をさせていただき、私は別の方法で世に寄与したいと思うようになりました。人は誰でもいつかは「死」を迎えます。死を間近に控えた人は、不安と恐れ、様々な心の葛藤に悩まされます。多くの人をお見送りした私の経験から、生の終わりを迎えると人は誰でもそのような状況になるのです。医療の世界では、終末期医療と言われていますが、今回の四国遍路旅の経験から、宗教者と医療者が協力してそのような人たちをサポートできるのではないかと思います。現に活動されているグループもあります。私は自分なりの経験と宗教者の協力を得て、少しでも賛同者を多く得て、社会に寄与できたらと思っています。

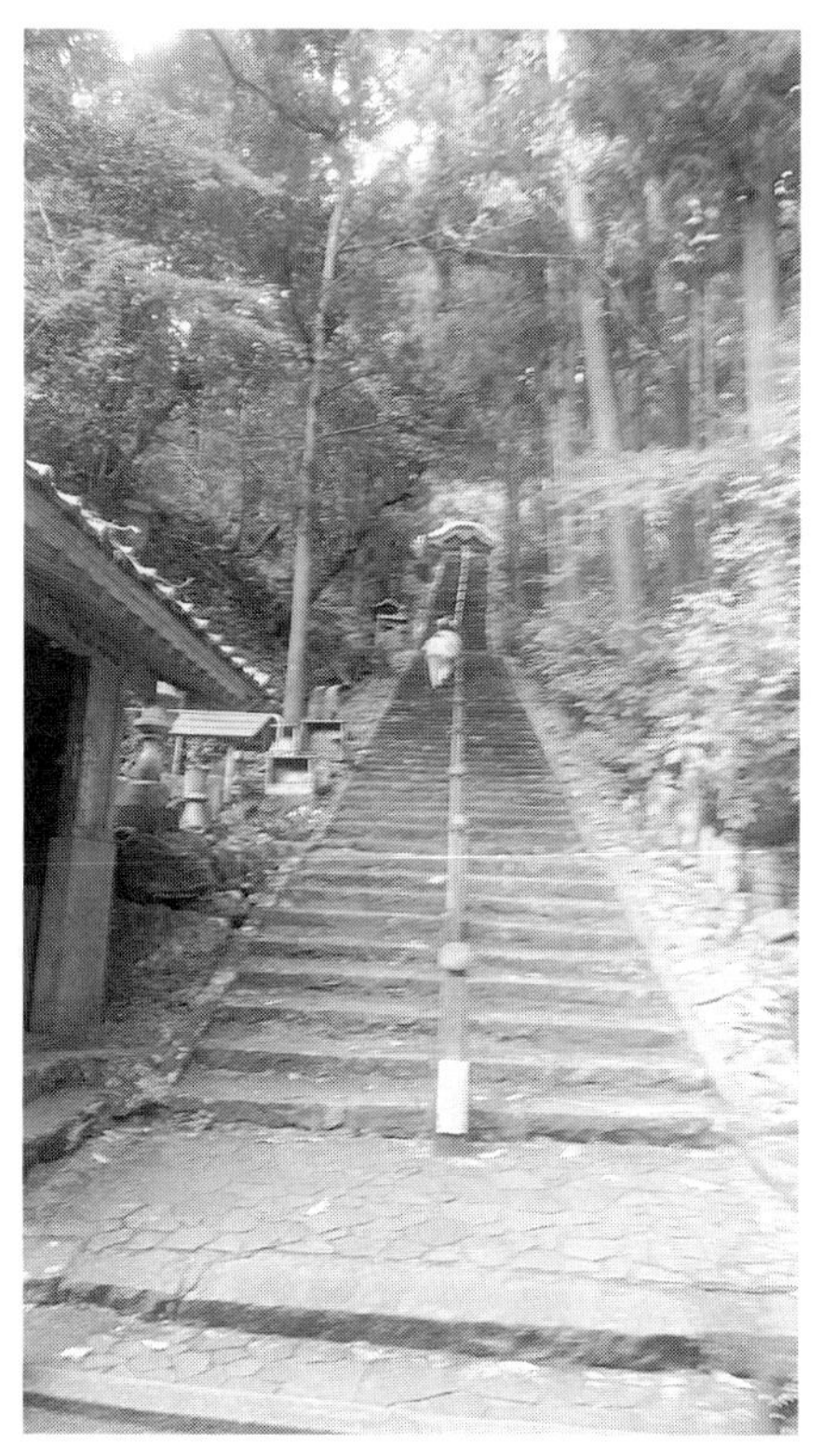

山の上の寺を目指す私

# おわりに　――近ごろ思う事――

今（二〇二〇年四‐五月）、新型コロナウイルスが世界中に蔓延して、個人の外出の機会を奪い、産業活動も停滞して人々は先の見えない不安な暗闇の中で、心身ともにストレスがピークになろうとしている様に感じられます。このウイルスのパンデミックは、世界をさらに分断し、孤立主義、差別の助長、闘争へとエスカレートし、再び世界の冷戦時代の始まりさえも危惧されています。そして最前線で働く人々は、感染のリスクを負いますが、家や会社でＩＴを駆使して社会を動かせてきたいわゆる成功者は、リスクを負いますが社会を相変わらず動かしているようにも見えます。また製造業においてはサプライチェーンが絶たれ、生産性が極端に低迷しています。日本の産業は、多職種や複雑性、多様性が強みで意外と外国に比して、立ち直りが早いという意見もあるようですが、このままでは再起どころか倒産や廃業せざるを得ない中小企業が続出するとも言われています。そして勝ち組と負け組の格差はさらに広がり、社会の不均衡がさらに進む予感さえします。コロナ禍に因るものでありますが、根本は今の日本の社会構造に問題があるようにも思えます。日本はいつから道を外してしまったのでしょうか。予期せぬ経済成長で有頂天になり、拝金主義の思想が蔓延して、日本を堕落せしめたのでしょうか。私は先に日本の在り方について、国民が性根を入れて考え直す時期が来ると書きました。今まさにその時ではないでしょうか。

禍転じて福となす時なのでしょう。

今こそ日本の働き方や進むべき方向にパラダイムシフトを起こす時なのです。

日本の食料自給率（カロリーベース総合食料自給率）は、先進国の中でも低く、約三十七パーセント（二〇一六年度時点）ですが、政府は二〇三〇年度までに、四十五パーセントに高める目標を掲げてます。たとえばコロナ禍で職を失った人材が農業へシフトすることにより多大な耕作放棄地を活用でき食料自給率の上昇につながると同時に新たなビジネスが起きる可能性も多いにあります。また国土の六十六パーセントを占める森林（国土に対する森林の比では、世界第三位）を利用して新産業を興したり（一部では立派な業績を挙げている会社もある）、森の手入れで海も豊かになり海産物も増産されるでしょう。今ウイルス対策で話題になっているソーシアル・ディスタンスも心配なく十分とれるし、大都市から地方への人材移動も促進し、地方創生にも寄与すると思います。また製造業においてはサプライチェーンの国内回帰という考えも一部ではでてきており、外国依存から脱却し改めて自国産業を見直してみるのはいかがでしょうか。

原油・天然ガス・石炭などのエネルギーについては、再生可能エネルギー（太陽光・地熱・風力・水力・波動等）がさらに効率よく提供されると、外国依存は低減し遂には限りなくゼロになる時代が来ることを期待していますが、当分外国に依存せざるを得ないと思います。その意味において、どの国とも尊敬をもって仲良くお付き合いをするグローバル化も重要です。

またここ数年、観光立国を目指し、溢れるほどの外国人を呼び込み、インバウンド消費の恩恵を受けてきました。コロナ禍の現状を鑑みると彼らの落としたお金の多寡に一喜一憂する国策が本当に日本の進む方向であるか考え直す時かもしれません。ちなみに、二〇一七年にはインバウンド消費は年間四兆円を超え拡大スピードは著しいですが、対して国民の自国観光消費は約二十一兆円とされていて、まだまだ国民に依るところが大きいです。私たちは我が国の美しい国土、人々の生活、風習、文化の多くを知りません。今回のコロナ禍が終焉した時、全国へ足を運んで日本を再発見してはどうでしょうか。そしてインバウンド依存せず私たち国民だけでも日本を盛り上げることができるのではないでしょうか。他力本願ではいつ又同じ轍を踏むかもしれません。

昔読んだ本に、人は犬くらいの大きさが一番機能的によい大きさだと記述されているのを記憶しています。人口も産業も大きい事はいいことだとは言い難いと思います。

そして最近のＴＶでは、「ポツンと一軒家」が人気番組の上位にランクインする時があります。自分の生まれた土地に住み続け、自給自足を目指してご先祖様から受け継いだ歴史を生きていく人々に、たまらない魅力を感じるのです。この番組が人気があるのは、日本人の心の奥深く「このような生活を懐かしむ、以前見た風景に帰りたい」という潜在意識の表れではないかと思います。昭和の時代は、人口も少なく日本はほぼ自給自足の中で、伝統の精神性が保たれ、現在より不便であったが、おおらかで自由、ゆとりがあって貧しいが皆が今より幸せであったように思います。このように今は伝統に育まれた日本人の精神の高まりが期待されるフェーズであり、土着文化を再興する時であろうと思います。せわしない時間と世界流行に追いかけられる生活はもう止めにしたいと思う今日この頃です。これも私が高齢になり、インドの考え方の、「青年期」「家住期」「林住期」「隠遁期」の後者に近づいたからなのかも知れませんが…。

最後に、目に見えない新型コロナウイルスに世界が蹂躙され、人の生命・健康や文化がずたずたに引き裂かれ、営々と築いてきた全世界の人の生き様を吹き飛ばす勢いです。私には人類が細菌やウイルスとの長い闘いの歴史に学ばなかった付けが回ってきたと思えて仕方がないのです。繰り返す歴史の中で、将来に生かす英知を獲得することが神から与えられた試練の回答なのです。

そして今現在、新型コロナウイルス感染症と闘っている医療者に、全世界で感謝のメッセージが届けられています。特に、医師を目指す若者はいまの医療現場をしっかり脳裏に焼き付けて、その現場から逃げない、闘いに挑む挑戦者となって社会の一隅を照らす人材に成長していただきたいと切に願うのです。

二〇二〇年八月

## 追記

この小文は、私の一生で折々に与えられた体験や感想を素直に書き記してきたものです。ほぼ書き終えた令和二年八月二十日、恩師の西本詮先生が九十六歳で逝去されました。長年先生の下でお教えを受けた者として、感謝と寂寥感の毎日です。

この拙い文を先生の御前にお捧げ致します。

合掌

## 謝辞

本書を上梓するに当たり、推薦文を頂いた敬愛する元香川大学学長木村好次先生、ＪＡ香川厚生連管理部の武内あかね様、同医療情報部の向井浩一朗様ならびに終始ご助力を頂いた美巧社の矢田智行様に感謝致します。

長尾　省吾（ながお・せいご）

昭和42年３月　岡山大学医学部卒業
昭和43年４月　岡山大学医学部附属病院脳神経外科教室入局
昭和49年７月　岡山大学医学部助手
昭和50年11月　岡山大学医学部附属病院助手
昭和51年12月　米国留学（イリノイ州クックカウンティ病院
　　　　　　　脳神経外科研究員　米国・シカゴ）
昭和57年４月　岡山大学医学部附属病院講師
昭和61年10月　香川医科大学医学部助教授
平成３年７月　香川医科大学医学部教授
平成15年10月　香川大学医学部附属病院長
平成20年４月　香川大学名誉教授
平成20年７月　JA香川厚生連代表理事理事長
平成20年９月　香川県医療政策アドバイザー（委嘱）
平成23年10月　香川大学学長
平成29年９月　香川大学学長退任
平成29年10月　JA香川厚生連顧問

医学博士（昭和51年）。日本脳神経外科学会専門医（No.602）（昭和50年）。日本脳卒中学会専門医（20030069号）。日本脳神経外科学会監事・評議員。日本脳神経外科学会中国四国支部支部長。日本脳卒中学会評議員。日本脳循環代謝学会名誉会員。日本脳卒中の外科学会名誉会員。日本脳腫瘍の外科学会名誉会員。

**山の上の寺を目指した脳外科医**

---

2020年９月26日　初版発行

著　　者　長　尾　省　吾
発 行 所　株式会社　美巧社
　　　　　〒760-0063　香川県高松市多賀町１-８-10
　　　　　(TEL) 087-833-5811　(FAX) 087-835-7570
印刷・製本　株式会社 美巧社

---

ISBN978-4-86387-136-6C0023　